FANTASÍA UNDERGROUND

Cómo dibujar
ángeles caídos

Por Mike Butkus y Michelle Prather

1a. edición, julio 2011.

How to Draw Fallen Angels
Mike Butkus and Michelle Prather
Copyright © 2011 Walter Foster Publishing, Inc.
Artwork © 2011 Mike Butkus and Michelle Prather.
Walter Foster es una marca registrada.

© 2011, Grupo Editorial Tomo, S.A. de C.V.
Nicolás San Juan 1043, Col. Del Valle
03100 México, D.F.
Tels. 5575-6615, 5575-8701 y 5575-0186
Fax. 5575-6695
http://www.grupotomo.com.mx
ISBN-13: 978-607-415-274-6
Miembro de la Cámara Nacional
de la Industria Editorial No. 2961

Traducción: Ivonne Saíd Marínez
Formación tipográfica: Armando Hernández
Supervisor de producción: Silvia Morales

Este libro se publicó conforme al contrato establecido entre
Walter Foster Publishing, Inc. y *Grupo Editorial Tomo, S.A. de C.V.*

Impreso en China - *Printed in China*

FANTASÍA UNDERGROUND

Cómo dibujar
ángeles caídos

por Mike Butkus y Michelle Prather

Grupo Editorial Tomo, S.A. de C.V.,
Nicolás San Juan 1043,
03100 México, D.F.

Contenido

introducción

¿Reconocerías a un ángel si lo vieras? ¿Y sabrías si sus intenciones son buenas o diabólicas?

El misterio y el encanto que rodea a los ángeles se remontan a la antigüedad. No importa la era, no hay nada más fascinante para un humano que un ser inmortal, manifiesto o imaginado, que además de poseer una inteligencia que supera a la de los humanos también tiene una fuerza sobrehumana y la capacidad de gobernar la voluntad del hombre. Su capacidad para cambiar de forma sólo enciende la fascinación. Un ángel que visita la tierra para hacer el bien puede no tener alas y vestir un traje de marca, pero espera… también puede tratarse de un miembro del ejército de Satanás enviado desde el infierno para arrasar con tu mundo.

Siempre están entre nosotros, yendo y viniendo a través de los tiempos en relatos, en la religión, en el arte, en nuestra imaginación, y a veces en nuestra presencia. Los seres que alguna vez fueron santos y cayeron en desgracia porque su avaricia y su ambición los sobrepasaron, se han convertido en demonios de las tinieblas, ansiosos por cumplir la mala voluntad de Satanás y listos para conducirte por el camino de la depravación.

Bienvenido a la Fantasía Underground, donde conocerás el lado oscuro de los ángeles para que no te quedes en la ignorancia. Puedes llenarte de fuerza aprendiendo la historia de los ángeles, desenterrando evidencia de las visiones e interactuando con ellos. Además de un glosario y mucho más, en este libro encontrarás indicaciones paso a paso para capturar a estos magníficos espíritus en papel, con técnicas de dibujo, de pintura y por computadora.

No temas, después de todo, tu voluntad te pertenece.

La pregunta es: ¿Tienes la fuerza suficiente?

Capítulo 1: lo esencial de los ángeles

una breve historia de los ángeles

Los ángeles en la cristiandad

El papel exaltado de los ángeles en el universo espiritual moderno de los cristianos se debe al profeta iraní Zoroastro, quien predicó los principios del bien y del mal alrededor del año 1200 a.C. (o en el año 600 a.C., como argumentan algunos eruditos). Cuando Zoroastro caminaba por la orilla del río Daiti, tuvo una visión en la que uno de los siete ángeles se le presentó para guiarlo hacia los otros seis. Después de este encuentro, lo que los sumerios consideraron "humanos con alas" aproximadamente en el año 3000 a.C. y las antiguas culturas babilonias y asirias después llamaron "mensajeros alados", fueron conocidos como arcángeles que representaban las siete leyes de la moral. El profeta dijo que estos siete arcángeles lo guiaron a lo largo de su vida.

Darío el Grande, rey de Persia (550 a.C. a 486 a.C.) proclamó a la fe monoteísta de Zoroastro como la base de la religión de su reino. A pesar de su decreto, era famoso por su tolerancia a las fes coexistentes, siempre y cuando sus seguidores fueran pacíficos y respetuosos de la ley. Cuando los judíos, que fueron ayudados por su gobernante para restaurar su templo, fueron exiliados de Babilonia, se llevaron consigo la interpretación que Darío hizo del zoroastrismo, integrando la idea de los arcángeles en los inicios del judaísmo. Más tarde, los partidarios del judaísmo que se convirtieron al cristianismo empaparon su nueva fe con la tradición de ángeles tomada de las parábolas judías de los libros de Daniel, Enoc y Tobías.

En el inicio del cristianismo, los ángeles estaban regidos por Dios para que sirvieran a la humanidad. Como intermediarios entre Dios y los hombres, los ángeles cuidaban la vida en la tierra, transmitían las oraciones de la tierra al cielo, vigilaban que se cumpliera con el Bautismo y la penitencia, y eran ejemplo de verdadera devoción a Dios y a Cristo. Aunque el lugar de los ángeles en el cristianismo fue duramente debatido en los inicios de la cristiandad, santo Tomás de Aquino, el teólogo más venerado de la Edad Media, afianzó su importancia en su *Suma* teológica y en los sermones en los que se analizaban ángeles, demonios y demás. Apoyaba la creencia de que cada cristiano era cuidado por un ángel de la guarda, y que los ángeles se encontraban en el orden superior de la creación. Fue la exploración que Aquino realizó en el reino de los ángeles la que dio forma a las creencias cristianas de seres divinos en los siguientes ocho siglos.

Los cristianos de hoy aceptan que los ángeles no sólo son ídolos dignos de venerar, sino mensajeros de Dios que ayudan a mantener la paz en la tierra. Aunque con el paso del tiempo se ha dado nombre a multitud de ángeles, la Iglesia Católica reconoce sólo a cuatro: Miguel y Gabriel, que aparecen en la Biblia; Rafael, a quien se nombra en el Libro de Tobías; y Uriel, a quien se menciona en el segundo libro de Esdras.

Los ángeles en el judaísmo

Como el judaísmo es anterior al cristianismo y al islamismo, la angelología surge en aquél antes que en otras religiones. De acuerdo con la Enciclopedia judía (1901-1906), la influencia de los sistemas de creencias babilonio y persa durante y después del exilio, alteró drásticamente la tradición angélica de los judíos. Conforme el monoteísmo se arraigó y Dios fue aceptado como ser supremo, surgió la necesidad de crear su corte real. Durante esta época, se desarrolló un complejo sistema de ángeles junto con un sistema de espíritus que se parecía muchísimo al del zoroastrismo. En el libro de Enoc, se les dio nombre a los siete arcángeles, y los ángeles guardianes recibieron la definición de almas de los muertos, espíritus que caminan entre los vivos, y otros espíritus protectores.

Igual que en el cristianismo, en el judaísmo un ángel es una fuerza intermediaria del cielo súdita de Dios. Entre los miembros de su corte están los "mensajeros" (malach), los "observadores" (irinim), los "poderosos" (querubines), los "príncipes" (sarim), los "exaltados" (seraphim), las "criaturas santas" (chayyot) y las "ruedas" (ofanim). Sus labores son muchas, y pueden encargarse de entregar mensajes importantes a los humanos o frustrar las acciones de los enemigos de Israel.

Los ángeles caídos suelen aparecer en la literatura post-bíblica, tanto en el Libro de Enoc como en el Libro de los Jubileos. En este último, se dice que los ángeles caídos visitaron la tierra para enseñar a la humanidad los beneficios del orden social, pero una vez aquí, fueron seducidos por las hijas de los hombres antes de que pudieran concluir con su misión.

Los ángeles en el Islam

Fundado por el profeta Mahoma en el año 622 a.C., el Islam se expandió en las zonas aledañas, en el norte de África y sur de España después del paso de Mahoma por esos lugares en el año 632. El sura 2, versículo 117 del Corán, se refiere a la creencia no sólo en Alá y en el Día de la Resurrección, sino también a "los ángeles, las Escrituras y los mensajeros". En el Islam, los ángeles se dedican a servir y obedecer a Alá, y uno de sus papeles más importantes es llevar mensajes entre los humanos y su maestro.

El Corán representa a estos sumisos seres como una combinación de luz y fuego, entidades que nunca desobedecerán, ni sucumbirán a la tentación. En la tierra, adquieren forma de humanos y pueden dirigirse a otros humanos oralmente, según su objetivo.

Como en el cristianismo y el judaísmo, en el Corán se hace referencia a Gabriel y a Miguel (Jibrail y Mikail) como dos arcángeles principales del islamismo. Jibrail fue el arcángel que dictó las palabras sagradas del Corán al profeta Mahoma y lo acompañó al cielo; funge como el mensajero y muchos musulmanes lo consideran el Espíritu Santo. A Mikail se le representa como el arcángel de la piedad y su misión es recompensar a la gente buena. Israfil (o Rafael), el tercer arcángel, tocará la trompeta el Día del Juicio Final. Según el Corán, el primer soplido diezmará a toda la existencia, pero el segundo devolverá la vida a todos los humanos. Izra'il (Azrael), el cuarto arcángel, es el ángel de la muerte que separa el alma del cuerpo de los mortales. El cuidado empleado para quitar el alma depende de su calidad. Si la persona fue desagradable en vida, la separación no será agradable, pero si era un individuo de sólidas bases morales, entonces no sentirá nada.

Satanás y Diablo son dos nombres que aparecen en el Corán. Igual que en el cristianismo, Satanás comenzó siendo un ángel bueno, pero según el Corán su negativa a compartir la veneración de Adán hizo que lo expulsaran del Paraíso.

ángeles caídos

El que quería más

Los primeros cristianos y los judíos que ya existían creyeron que los ángeles habían caído en desgracia como consecuencia de su deseo por las mujeres humanas. Pero la versión más aceptada es que la caída de los ángeles se dio cuando Lucifer ("Brillante Hijo de la Mañana", en hebreo) fue creado superior a los serafines, excediendo en categoría al resto de los ángeles que custodiaban el trono de Dios. Sus doce alas eran ejemplo de su magnificencia en comparación con las de la gran cantidad de ángeles que lo rodeaban. Pero la belleza y la grandeza de Lucifer lo afectaron. En vez de permanecer humilde ante los ojos de Dios, se volvió orgulloso por la cercanía con Él. Seguro de sus poderes sobrenaturales, se hizo ambicioso y se atrevió a desafiar el dominio de su Maestro buscando el control de su propio destino. Para impulsar su revuelta épica, Lucifer creó un ejército de ángeles rebeldes que compartían su frustración por estar sujetos al gobierno divino, y los encabezó en la batalla.

El ejército de ángeles de Lucifer, alimentado por la arrogancia y la envidia, no resultó rival para la infantería sagrada de Dios y del arcángel Miguel, que estaba al frente de ella. En el Libro de las Revelaciones versículo 12, párrafo 9, leemos el resultado: "De modo que hacia abajo fue arrojado el gran dragón, la serpiente original, el que es llamado Diablo y Satanás, que está extraviando a toda la tierra habitada; fue arrojado hacia abajo de la tierra y sus ángeles fueron arrojados con él".

A causa de su errónea apreciación, Lucifer, junto con una tercera parte de los ángeles celestiales que compartían con él su naturaleza rebelde, desaparecieron en las profundidades del infierno. A partir de entonces, Lucifer se conoció como Satanás, y él y sus ángeles convertidos en demonios fueron condenados al sufrimiento eterno. Por supuesto, que si eres demoniaco por naturaleza, tu idea de diversión es liberar un poco de angustia en todo el mundo, que es justo lo que se les encomendó a esos seres malignos. Simplemente había muchos mortales, débiles de moral y lo bastante ingenuos para morder el anzuelo, para resistirse.

El trabajo sucio de los demonios

La demonología judaica dividía a los demonios en clases que cambiaron a través de los tiempos. Las enseñanzas de la Cábala reafirmaban que el origen del mal era el pilar izquierdo del árbol de la vida. En el siglo XIII, surgió la idea de que diez *sephiroth* malvados estaban en constante oposición a los diez *sephiroth* sagrados. Otras creencias relacionadas con los demonios afirmaban que eran el producto de los nueve terrores, seres oscuros que regían la noche junto con los ángeles, o enfermedades encarnadas.

Conforme el cristianismo ganó auge, también lo hicieron las historias de demonios, que ahora tomaban prestada información de las antiguas tradiciones judías y de Medio Oriente. En la Edad Media, se creía que los demonios trabajaban en conjunto con las brujas. Como parte de su misión de explotar la debilidad de los humanos, se decía que los demonios masculinos y femeninos (incubi y succubi, respectivamente) se introducían en las camas de mortales desprevenidos y copulaban con ellos. A los incubi les atraían sobre todo las mujeres virtuosas, como monjas, vírgenes o viudas dedicadas al celibato. Como las historias de encuentros íntimos con demonios se volvieron tan frecuentes en el

siglo XIV, los desventurados plagados por esas criaturas demoníacas se vieron en la necesidad de tomar muchas medidas de emergencia relacionadas con la fe, como confesarse, rezar Padres Nuestros o, en casos extremos, someterse a exorcismos.

En la teología cristiana moderna, los ángeles demonios siguen siendo tema del juicio final de Dios, después del cual serán relegados al infierno eterno. Hasta entonces, Satanás tiene la libertad de ordenar a los demonios que tienten y engañen a los mortales, y que tomen prisioneras las almas de los débiles. Por ejemplo, si se trata de una persona de poca fe, él o ella es vulnerable a la posesión demoníaca, que es muy posible resulte en actos malignos.

Los siete pecados capitales

Muy consciente del hecho de que los demonios están decididos a conducir a los mortales a una existencia pecaminosa, los cristianos serios se encargan de evitar cometer alguno de los Siete Pecados Capitales, una clasificación de vicios terribles establecida en los inicios del cristianismo para educar a las almas infectadas por el pecado original. Por supuesto, ¿qué tan malo podía ser un pecado a menos que fuera regido por un demonio depravado? En un intento por clasificar mejor a los demonios, teólogos y clérigos formaron pares con los ángeles caídos más poderosos y su respectivo pecado. A Leviatán, el demonio serpiente que gobernaba los mares, se le identificó con la envidia; mientras que a Belzebú, el segundo al mando después de Satanás, se le asoció con la gula. Mammon, el demonio de las riquezas fue apropiadamente relacionado con la avaricia; Asmodeo, a quien le encantaba provocar conflictos maritales, con la lujuria; y a Lucifer, nuestro ángel estrella que arriesgó todo para rebelarse contra Dios, con el orgullo. A Belfegor le satisfacía seducir a los hombres con la riqueza, por eso se convirtió en el demonio de la pereza. Y, por supuesto, nada mejor que la ira para Satanás, el soberano del infierno y sus habitantes.

Historias del infierno

Se dice que la idea de que el infierno es el bastión de Satanás, de su legión de demonios y de las almas de los transgresores precede la historia escrita, con los primeros relatos como el de "La tierra de los muertos" grabados en tabletas de barro que se encontraron en un lugar que ahora es el moderno Irak. La gente de la zona, entre ellos sumerios y babilonios, creía que muchas marcas que hoy relacionamos con el infierno –barcos y barqueros, ríos y puentes, por ejemplo– eran características de él. Es difícil negar que la creencia de Zoroastro en el bien y el mal haya influido en gran medida la concepción judeocristiana del infierno. Sus enseñanzas de que Ahura Mazda, el defensor de la verdad, moraba en las alturas con siete ángeles, mientras Angra Mainyu ("espíritu malo") permanecía oculto debajo de la tierra, con la libertad de dar órdenes a los demonios que le servían para imponer su ira en el mundo de los humanos, están íntimamente relacionadas con el concepto cristiano del cielo y el infierno. Zoroastro incluso habla de una gran batalla entre el bien y el mal que anularía al infierno, que terminaría con el mal para siempre y permitiría que el bien prevaleciera eternamente.

"El infierno", de Dante Alighieri, en el que detalla sus viajes alegóricos por el infierno en *La divina comedia*, ofrece una de las descripciones más exhaustivas que existen del infierno. En ella, una visión del poeta Virgilio se materializa para decirle a Dante que la única manera de salir del bosque en tinieblas en el que se encuentra es hacer un viaje al infierno. Mientras Virgilio lo guía por los nueve niveles del infierno, queda claro que cada maldad es castigada apropiadamente, como sucede con aquellos que dicen la suerte y que fueron maldecidos a caminar hacia atrás porque ya no podían ver hacia delante. *El paraíso perdido*, la obra épica del poeta inglés John Milton y que se publicó más de tres siglos después, en 1667, además de volver más realista al infierno, también hace a Satanás más enigmático con su carisma y su habilidad para persuadir.

A pesar de todas las historias de llamas y azufre, de una "casa afligida por el dolor" como escribió Milton, muchos creen que el infierno es en realidad la existencia pecaminosa y a veces tempestuosa del hombre en la tierra. Los problemas que nos creamos, ambientales o sociales, son nuestro castigo por desear más de lo que necesitamos, algo no muy diferente a la retribución que recibieron aquellos que dicen la suerte en la alegoría de Dante. No obstante, siempre existe la posibilidad de que ángeles buenos o demoniacos anden rondando las calles disfrazados de humanos. Por eso debes saber de quien cuidarte.

Evolución de los ángeles

Rostros de ángeles
(de izquierda a derecha)
Un hada, o espíritu de
la naturaleza; un *putto*,
famoso en el arte del
Renacimiento y del
Barroco; el clásico ángel
con aura; y un ángel
femenino guerrero tatuado,
cuyas garras y ojos indican
que está empeñado en
resucitar a Caín.

El Condenado Uno de los soldados de Satanás que claramente lucha por el mal, acompañado por su despreciable esbirro con un rostro que ninguna madre amaría

"Ángeles que conocemos en el cielo" hacen pensar en seres celestiales, gloriosos, con trompetas doradas, harpas que encantan, alas que refulgen y temperamentos alegres. Pero esa iconografía es el producto de los puros de corazón. Ángeles más oscuros y más peligrosos que moran en el mundo de las tinieblas y en el ínter, también se hacen escuchar, y sentir. Son enigmáticos y despiadados, y en lugar de armaduras resplandecientes o vestiduras prístinas, sus atuendos reflejan la devolución de mensajeros a pillos sobrenaturales.

13

alas de ángeles

Espíritus que vuelan Las alas de ángeles son tan variadas como las identidades de los mismos. Algunas son tan magníficas como las almas santas que las portan, mientras que otras son una combinación de maldad e instinto primitivo, dejando al descubierto el desagrado que sus dueños sienten por cualquier cosa con concien...

Si alas de plumas blancas como la nieve es la única imagen que te viene a la memoria cuando se habla de ángeles, deja que la tradición angelical te ofrezca opciones que son menos, podríamos decir, perfectas. Incluso hasta los ángeles celestiales llevan alas que se salen de la interpretación común y aturden a la imaginación, como alas de plumas rojas y azules, y alas con ojos que todo lo ven. Las alas de los ángeles caídos son mucho más fantásticas, pueden estar chamuscadas y desfiguradas o ser total y absolutamente peligrosas.

accesorios de los ángeles

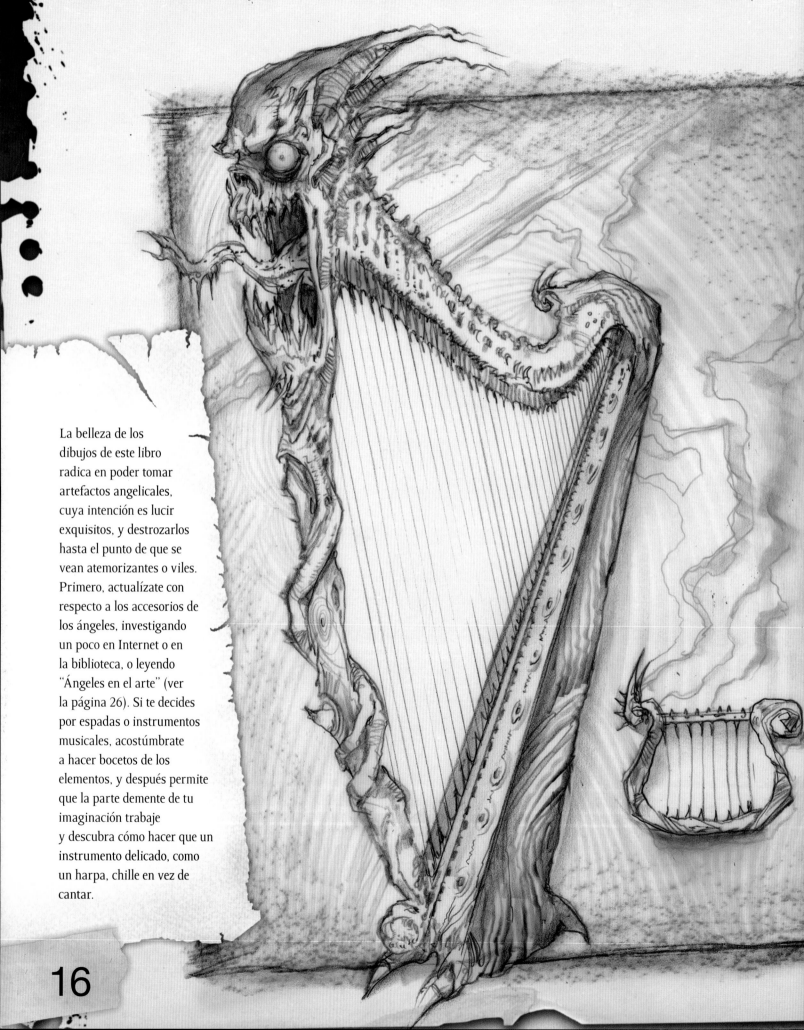

La belleza de los dibujos de este libro radica en poder tomar artefactos angelicales, cuya intención es lucir exquisitos, y destrozarlos hasta el punto de que se vean atemorizantes o viles. Primero, actualízate con respecto a los accesorios de los ángeles, investigando un poco en Internet o en la biblioteca, o leyendo "Ángeles en el arte" (ver la página 26). Si te decides por espadas o instrumentos musicales, acostúmbrate a hacer bocetos de los elementos, y después permite que la parte demente de tu imaginación trabaje y descubra cómo hacer que un instrumento delicado, como un harpa, chille en vez de cantar.

Equipo de los malos
Instrumentos de cuerda que no pretenden calmar, sino despertar a los muertos y a los demonios; y un escudo, una espada y una armadura diseñados para derrotar a todo lo que sea bueno y correcto

17

Capítulo 2: Cómo dibujar ángeles caídos

materiales de dibujo

Dibujar ángeles es un poco más sencillo que pintarlos o meterlos a la computadora, así que empecemos por aquí. Básicamente, dibujar consiste en crear formas indicadoras y *valores* definitorios (la claridad u oscuridad de un color, o del negro). Como uno se apoya muchísimo en el valor para representar el tema, es importante incluir un rango de valores para tener variedad y contraste. Ten esto siempre presente durante el proceso de dibujo, desde las primeras etapas hasta los últimos detalles.

Lápices de colores

Lista de materiales

Para hacer los dibujos que se proponen en este libro, necesitarás los materiales que se mencionan a continuación. Fíjate que los materiales exactos para cada tema se enlistan al principio de cada proyecto:

- Papel vegetal multimedia
- Lápices de colores:
  negro
  gris al 30% frío
  gris al 50% cálido
  gris al 50% frío
  rojo Toscana
- Lápiz de carbón
- Goma
- Papel calca

- Bloc de papel revolución suave o duro
- Sacapuntas
- Lija de 600 (opcional)
- Photoshop® (opcional, consulta la página 103)
- Gouache blanco (opcional)
- Pincel chico (opcional)

Lápiz de carbón

Goma

Sacapuntas

Gouache blanco

Mesa de luz

Será más fácil hacer los proyectos de este libro si tienes acceso a una mesa de luz, como la que aparece en la imagen del lado derecho. Esta superficie iluminada permite crear perfiles claros en los bocetos con tan sólo colocar una hoja de papel sobre el boceto y calcarlo. Si no cuentas con una mesa de luz, te sugerimos que las primeras líneas de tu boceto sean muy tenues para que puedas borrarlas en una etapa posterior.

Lápices

Por lo general, los lápices de dibujo de grafito son "minas" de grafito incrustadas en madera. La mina viene graduada y casi siempre acompañada por una letra ("H" para "duro" y "B" para "suave") y un número (que va del 2 al 9). Entre más alto es el número que acompaña a la letra, más duro o más suave es el grafito. (Por ejemplo, un lápiz 9B es sumamente suave). Los lápices duros producen un valor tenue y pueden rayar la superficie del papel, mientras que los lápices más suaves producen valores más oscuros y se corren con facilidad. Por esta razón, elige un lápiz HB (también conocido como #2), que está justo entre el lápiz duro y el suave.

Además de los lápices de grafito, también utilizarás unos cuantos lápices de colores. El carbón (hecho de madera quemada) es un medio oscuro e intenso que da a los dibujos un contraste drástico. Ten cuidado, ¡porque se corre con facilidad! Los lápices de colores se corren menos y vienen en una amplia variedad de tonos. (Consulta también "Lápices de colores" en la página 69.)

Goma moldeable

La goma moldeable es una herramienta útil que funciona como goma y como instrumento de dibujo. Puede moldearse en cualquier forma, haciendo más fácil eliminar el grafito de la superficie de dibujo. Para borrar, simplemente presiona la goma moldeable sobre el papel y levanta. A diferencia de las gomas moldeables, las de plástico o vinyl pueden dañar las superficies de dibujo delicadas, y no es nada fácil ser exacto.

Pinturas

El proyecto de este capítulo en su mayoría es el dibujo, pero también se sugiere la pintura para resaltar áreas por aquí y por allá. El gouache (una acuarela opaca) es soluble en agua, así que vas a necesitar una jarra con agua y algunas toallas de papel cuando lo utilices. Puedes usar pinceles de cerdas naturales o sintéticas con el gouache.

Fijador en aerosol para trabajar en él

Cubrir tus dibujos con una capa de fijador en aerosol ayuda a evitar que el dibujo se corra mientras trabajas. Es fácil, sobre todo cuando usas carbón, que corras los trazos por accidente. El fijador en aerosol en el que puede trabajarse te permite que lo rocíes de vez en cuando durante el proceso de dibujo, así evitas accidentes.

Superficies de dibujo

Hay tres tipos de papel para dibujo: suave, texturizado y duro. Elige la textura de acuerdo con la imagen que desees. En general, el papel duro produce trazos rotos, no es recomendable para hacer detalles, pero es ideal para los bocetos. El papel suave permite hacer trazos delicados, controlados. Los proyectos de este capítulo requieren papel vegetal y papel revolución suave o duro, los cuales resultan superficies adecuadas para dibujos tipo multimedia.

ángel de la muerte

Es obvio que este ángel demente cayó fuerte cuando cayó en desgracia. Con cuernos desiguales, puntiagudas orejas de murciélago y manos en forma de garras que podrían terminar con la vida de un malhechor de un apretón, nuestro ángel es una interpretación moderna de las representaciones clásicas del infierno demoniaco. Ten cuidado, con las sombras y los detalles apropiados, puedes darle más vida de lo aconsejable a este personaje oscuro.

Materiales
- Bloc de papel revolución suave o duro
- Lápiz de carbón negro
- Lápiz de color negro
- Papel calca

◀ **Paso uno** Comenzamos esta ilustración de un psicótico ángel de la muerte, lleno de ira, con un boceto hecho con el lápiz de color negro sobre papel calca. Primero, haz un rápido boceto lineal y después matiza con el costado del lápiz. Recuerda conservar tus trazos cortos y suaves. (Puedes transferir este boceto, consulta "Cómo transferir un dibujo", en la página 23.)

▶ **Paso dos** Dominar el arte de dibujar figuras es la base de casi todos los buenos artistas. En ausencia de un modelo de alaridos con cuernos, utilicé imágenes de la sesión de fotografía para la portada de este libro. Con un lápiz de carbón negro, empieza el dibujo final en un bloc de papel revolución. Inicia con un dibujo lineal y después planea los patrones de sombras.

Cómo transferir un dibujo

Para empezar los proyectos de este libro, quizá te resulte muy útil trazar los contornos básicos de la obra de arte final (o de uno de los primeros pasos). Transferir los contornos de una imagen a la superficie de tu dibujo o pintura es más fácil de lo que crees. El método más sencillo requiere papel transfer o carbón, el cual puedes adquirir en cualquier tienda de artes y manualidades. El papel transfer es una hoja delgada de papel cubierta de grafito por un lado. (También puedes hacer tu propio papel transfer cubriendo un lado de una hoja con grafito de un lápiz.) Simplemente sigue los pasos que a continuación se presentan.

Paso 1 Saca una fotocopia de la imagen que quieres transferir y amplíala al tamaño de la hoja de dibujo o del lienzo. Coloca el papel transfer o carbón sobre la hoja o el lienzo; después pon la fotocopia sobre el papel transfer y fíjala con cinta adhesiva.

Paso 2 Traza suavemente las líneas que quieres transferir a la superficie de tu dibujo o pintura. Cuando transfieras una guía para un proyecto de dibujo, usa la menor cantidad de líneas posible y sólo indica la posición de cada elemento. No querrás borrar muchas cosas cuando quites el papel transfer.

Paso 3 Durante los trazos, levanta de vez en cuando la esquina de la fotocopia para comprobar que las líneas estén transfiriéndose correctamente. Continúa trazando sobre la fotocopia hasta que hayas transferido todas las líneas.

◀ **Paso tres** En defensa del modelo que posó para la imagen de la portada, distorsioné y exageré drásticamente los rasgos faciales para conseguir la imagen deseada. Bajé un poco más la quijada, alargué las cuencas de los ojos e inserté un hueco entre los dientes frontales para exagerar. Cuando el dibujo lineal quede a tu gusto, vuelve a usar el costado del lápiz para comenzar a matizar las sombras. No es necesario añadir más detalles a estas figuras, sobre todo si los patrones de luz y sombra están bien diseñados y correctamente colocados.

▶ **Paso cuatro** Después, empieza las alas. Intenta mantener los bordes suaves y la mayoría del ala en sombra. Fíjate que hay ciertas características de ave y que las figuras son fuertes y gráficas. Incluso sin una fotografía como referencia, intenta no dejar formas ambiguas. Confía en tu creación o el espectador no la creerá. Ahora, agrega fuertes sombras y realces en el centro para que las alas luzcan estructuralmente sólidas.

◄ Paso cinco En este paso, utiliza el costado del lápiz para matizar las figuras largas y oscuras. Quizá necesites usar tu dedo para suavizar los bordes que se vean un poco duros.

► Paso seis Aquí, termina de matizar los cuernos, las orejas y la sombra debajo del pecho. Fíjate en la simetría de los cuernos y las orejas. Esto crea una sensación de movimiento y también de inquietud, que en este caso hace toda la diferencia.

◄ Paso siete Una vez que le demos profundidad a este ángel demoniaco con los matices, acentuaremos su emoción frenética añadiendo venas gruesas y palpitantes en la frente.

Paso ocho Decidí dejar sin terminar el lado derecho del dibujo, como lo tienen que hacer los alumnos en sus clases de dibujo cuando termina la jornada de los modelos. Además, de todas maneras este malhumorado ángel no iba a darme un minuto más de su tiempo.

los ángeles en el arte

Perspectiva general

Qué mejor tema para interpretar en el arte que el que se describe en el folclore y la religión, y que además queda completamente abierto a la interpretación. Después de todo, ningún ser humano vivo puede decir a ciencia cierta cuáles son sus características. Ángeles, arcángeles, serafines, querubines, y no olvidemos a sus contrapartes demoníacas, han obsequiado a los artistas inspiración para cuadros y esculturas durante siglos. Los resultados de este referente, por así decirlo, son invaluables porque cada obra de arte nueva fundamentalmente da vida eterna a la larga tradición de angelología.

Casi todas las sectas del mundo, incluyendo las fes budista, hinduista, taoísta, sumeria, zoroastra, egipcia, judía, cristiana e islámica, han utilizado la iconografía de ángeles para enseñar y estimular. Es considerado un tema espiritualmente sensible, digno de ser proyectado en las santas escrituras para que los devotos puedan observar el arte angelical y se vayan con esperanzas.

Aunque la apariencia de los ángeles sin duda es tema de debate, existe una antigua suposición en el folclore y en el mundo del arte de que un coro específico de ángeles usa o porta símbolos distintivos. Cada uno de los serafines, el coro de ángeles más elevado, blande una ardiente espada y tienen seis alas rojas, mientras que los querubines tienen dos alas azules. Los tronos, el tercer coro de ángeles, se representan con dos ruedas, de color verde azulado; cuatro caras, incluyendo la de un hombre, un león, un becerro y un águila; y cuatro alas llenas de ojos. A las dominaciones suele representárseles envueltos en túnicas largas hasta el piso adornadas con una estola verde y un cinturón dorado, que asegura la túnica. En la mano derecha portan un bastón dorado, y en la izquierda el sello de Dios. Las virtudes, el sexto coro de ángeles, tienden a ser ilustrados con un grupo de brillantes figuras que radian luz. Es común que a los principados, los ángeles de dos alas que protegen religiones, naciones y líderes del mundo, se le represente con atuendos militares y cinturones dorados. De igual forma, los arcángeles y los ángeles, situados en los coros ocho y nueve, aparecen como soldados en el arte, y traen consigo jabalinas con punta de lanza.

Por supuesto que las variaciones del tema son abundantes. Por ejemplo, en el arte occidental las dominaciones aparecen más regias, portando coronas y sosteniendo orbes o cetros. A veces, pintan a los querubines cargando libros, lo que simboliza su vasto conocimiento. Un motivo famoso que ha impregnado a la cultura popular en la era moderna es el ángel con atuendo sacerdotal, una cruz y alguna clase de instrumento de cuerdas. En las obras de arte que representan a Miguel, generalmente es joven, de apariencia tan atractiva que casi raya en la belleza, y poderosa, con una espada, un escudo y espléndidas alas que sobresalen de sus hombros. Gabriel, el segundo de a bordo después de Miguel, es representado con una belleza andrógina y accesorios como una corona y un lirio, el cual, en la Biblia, entrega a María cuando le rebela que será madre del hijo de Dios. Rafael, el ángel guardián de los viajeros, es pintado con sandalias y un cinturón con instrumentos que lo hacen parecer peregrino. En las interpretaciones que lo presentan como ángel de la guarda, porta una espada en una mano y magníficas ropas. En las representaciones más populares de Uriel, a quien John Milton se refiere como el Regente del Sol, una llama emana de la palma de su mano.

A cada pintura o escultura inspiradora de un espíritu con alas y aureola, corresponde una representación artística totalmente inquietante de un ángel caído disfrazado de diablo o demonio cuya intención es sembrar terror en los corazones de los fieles y los infieles. Los demonios toman grotescas identidades humanas con características repugnantes que van desde cuernos hasta orejas de murciélago. A veces, son representados como humanos de gran belleza, con alas y sin alas, para atraer mortales inconscientes a situaciones dudosas.

En una pintura miniatura que adornaba un libro de oraciones hecho para el Duque de Berry a principios del siglo XV, ángeles caen dejando un rastro de humo tras de sí, mientras se preparan para hundirse en el infierno. Lucifer, en primer plano, es el primero en entrar al infierno. En el camino, descubrimos su belleza, la que es muy probable que haya contribuido a su osada rebeldía contra el reino de Dios. Duccio di Buoninsegna, pintor y fundador de la Escuela de Siena, narró la tentación de Cristo en un lienzo entre los años 1308 y 1311. En esta obra, el diablo es un ángel oscuro con alas de apariencia atlética haciendo señas hacia los reinos del mundo inferior. Satanás también es representado, muy literalmente, como el Príncipe de las Tinieblas en el fresco de Gioto "El pacto de Judas" (también pintado en el siglo XIV). Negro de pies a cabeza, se cuelga del hombro de Judas por atrás con dedos flacos y largos y malas intenciones.

Una de las representaciones más desconcertantes en el arte de ángeles caídos en el infierno es el cuadro del artista flamenco del siglo XV Hans Memling de demonios torturando a los condenados, quienes, desnudos e impotentes, intentan salir al tiempo que son empujados a las profundidades del infierno. Los demonios de las tinieblas portan lanzas y garrotes mientras sus pies convertidos en garras se aferran a los cuellos y las espaldas de las víctimas castigadas con la sumisión.

El motivo detrás de estas horribles imágenes es sin lugar a dudas la moral. Aunque muchas se basaron en las interpretaciones del artista de las escrituras o de la tradición, o simplemente fueron concebidas a través de su vívida imaginación, las obras de arte que representan al infierno y a sus siervos tienen la intención de agitar al alma y advertirnos que la agonía del infierno es una buena razón para evitarlo a toda costa.

amor prohibido

Con alas resplandecientes y el corazón más puro, nuestro ángel bueno podría frustrar las malas intenciones de su seductor. Pero basándonos en la posición sumisa de ella, es obvio cuál poder dominará. Los matices sutiles de la expresión facial y el lenguaje corporal de este dibujo son integrales al desarrollo de la historia.

▲ **Paso uno** Este dibujo representa al Mal seduciendo al Bien. Fíjate cómo el bello ángel que simboliza a la bondad está ubicado al frente, mientras que el ángel de las tinieblas acecha por detrás de sus espléndidas alas, tratando de seducirla con su beso morboso. Para comenzar la imagen, haz el borrador de un boceto con el lápiz negro en papel calca. Después, haz un rápido dibujo lineal de las alas con el costado del lápiz para indicar su textura suave.

▲ **Paso dos** Ahora, empezaremos el dibujo final en papel vegetal. Como será una obra fuerte, conclusa, usaremos diferentes valores de lápices grises, además del negro. Una buena manera de lograr los valores deseados es simplemente cambiar los lápices. Aquí, iniciamos con un lápiz gris al 50% frío para hacer el dibujo lineal. Las alas abarcan a ambos ángeles y funcionan como marco natural.

◄ **Nota:** Es sumamente importante que tus lápices tengan buena punta, sobre todo cuando vayas a hacer dibujos de este tamaño y en papel vegetal. Lo mejor es usar un sacapuntas eléctrico porque produce puntas afiladas (de preferencia una punta de 16 grados). Después puedes usar una lija de grano fino para seguir sacándole punta al lápiz. Esto también crea un borde suave que hace que sea más fácil variar el ancho de las líneas cuando dibujas.

Paso tres Así es como generalmente acomodo mi mesa para dibujar. Siempre tengo cerca mi boceto, igual que un sacapuntas eléctrico y una lija de grano fino para darle a mi lápiz la punta que quiero. No obstante, el material más importante es una buena taza de café, que me ayuda a pasar una noche de dibujo.

Paso cuatro Los dos valores principales del rostro esquelético del ángel son claro y oscuro. Para lograrlos, con el lápiz negro delinea las áreas que deben estar en la sombra. Es un ángel de la muerte, por lo que me pareció adecuado que su cara fuera la de un cráneo.

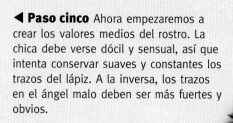

◀ **Paso cinco** Ahora empezaremos a crear los valores medios del rostro. La chica debe verse dócil y sensual, así que intenta conservar suaves y constantes los trazos del lápiz. A la inversa, los trazos en el ángel malo deben ser más fuertes y obvios.

▶ **Paso seis** Date cuenta de que hasta los trazos más pequeños y suaves de cada rostro son deliberados y diseñados. Esto tiene dos objetivos, describir la forma de la anatomía y crear un dibujo fuerte, seductor.

◀ **Paso siete** En general, el ángel de la muerte no es muy atractivo, pero con cientos de años de práctica, sin duda domina el arte de la seducción. Para demostrar que está a punto de convencer a su inocente víctima, dejé los ojos de ella casi completamente cerrados y sus carnosos labios ligeramente abiertos de placer. Fíjate que las cejas están elevadas hacia el centro, para indicar que una pequeña parte de ella lucha contra un deseo superfluo e indiscreto. Recuerda que el sentimiento está en el detalle.

Paso ocho Las alas están arqueadas para envolver a los dos ángeles. Este detalle atrae la atención del espectador hacia los rostros y al mismo tiempo crea un elegante marco. Intenta conservar las líneas curvas y suaves, casi como la llama de una vela.

▶ **Paso nueve** Ahora, vuelve más amenazante a nuestro malvado seductor y con los trazos del lápiz añade acentos oscuros en las hendiduras de los ojos, los conductos nasales y la boca. Las pupilas en las cuencas de los ojos demuestran que no está hecho sólo de huesos secos y quebradizos. Y las formas en el cráneo exageran su expresión y su edad.

Paso diez Como puedes ver, cambié la barba de chivo del ángel malvado por una lengua serpentina, ya que se supone que está seduciendo a su víctima, no haciéndole cosquillas. Para conseguirlo, le quité un par de dientes de abajo y usé un valor más oscuro en el fondo de la lengua, y después la separé en dos, como la de una serpiente.

32

Paso once Después de terminar los rostros, volvamos a las alas. Para dar a las alas de la chica un efecto mágico y enigmático, crea suaves figuras y remolinos en su interior. Deja que la imaginación te guíe mientras diseñas esos patrones. Sólo asegúrate de que sigan la forma de las plumas.

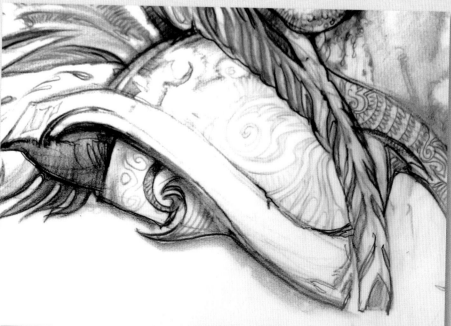

Paso doce El diseño de la hombrera de ella nos recuerda al de sus alas. No olvides que es importante conservar las formas de ella y las de su traje limpias y más gráficas para que contrasten con la complejidad del ángel malo que está detrás.

33

Paso trece Aquí, sé coherente con los pasos anteriores y haz que su cabello se conserve expresivo. Usa unas cuantas formas sencillas y márcalas para compensar sus facciones suaves y sensuales.

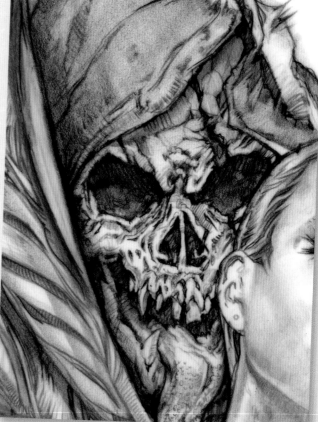

Paso catorce A continuación, crea el efecto de empujar al ángel malévolo hacia el fondo oscureciendo su capucha.

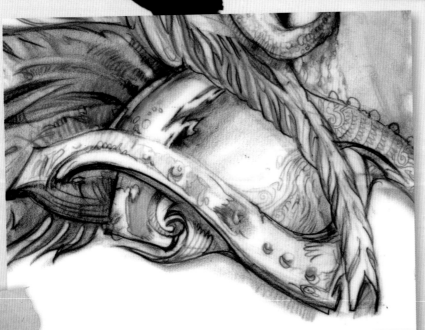

Paso quince En este paso daremos a la hombrera del ángel bueno un acabado cromo, como si se tratara de una armadura protectora. Para crear la textura metálica, marca una sombra oscura en el centro. Hay que disolver esa sombra para ilustrar que refleja el ambiente. Después, dale un valor medio a todo el hombro. Luego, usa la goma para hacer un realce brillante en el centro del valor medio. Y listo, ya tienes el terminado cromo.

Paso dieciséis Ahora, delinea el ala izquierda, pues funge como marco de la ilustración. Una vez que termines de delinear, los trazos que se requieren son mínimos. Sin exceso de detalles, el ala permanece en el fondo y no llama mucho la atención.

▲ **Paso diecisiete** Si quieres resaltar tu dibujo digitalmente, escanéalo en Photoshop®. Aquí, daremos brillo a los realces, profundizaremos las sombras y daremos más luz al ángel bueno. Primero, selecciona la herramienta goma y elige el diámetro adecuado del pincel. Después, reduce el nivel de dureza y opacidad aproximadamente en 50%. De ahí, repasa todos los realces que ya se tenían en la cara, el cabello y el hombro.

▶ **Paso dieciocho** ¡Ahora las chispas! Me pareció que la resplandeciente luz por la que son conocidos los ángeles buenos era perfecta para este ángel joven e ingenuo. Para empezar, elige la herramienta goma, conserva el diámetro pequeño y la opacidad en 50%. Luego, crea cada chispa de manera individual cambiando el diámetro para evitar que el efecto general luzca muy artificial. A continuación, selecciona la herramienta suprimir, aumenta el tamaño de la brocha a aproximadamente 30px, y reduce la dureza a cero. Elige "reflejos" como rango, y repasa las alas y a la chica para dar un efecto de brillo a la ilustración.

▶ **Paso diecinueve** En este último paso, oscureceremos algunas áreas para darle más dimensión a la ilustración. Comienza eligiendo la herramienta quemar y el diámetro adecuado (el que te funcione mejor). Yo dejé la dureza en cero y cambié el rango a "tonos medios". Luego, usa la herramienta para oscurecer ciertas áreas de las alas para enfatizar la plenitud y la profundidad de las capas. También puedes usar la herramienta quemar en cualquier zona a la que le caiga bien un valor más oscuro, como el costado del rostro de la chica y secciones del cabello. No es necesario usar Photoshop® en esta ilustración. El proceso de montaje utilizado para la portada del libro (consulta la página 74) te dará los mismos resultados. En ese caso, utiliza un poco de gouache blanco, agua y un pincel delgado para los toques de luz brillantes. No obstante, Photoshop® es mucho más rápido cuando hay que cumplir con fechas de entrega.

ángel caído de póster de película

Estos demonios necrófagos, duendes y el ángel de engañosa apariencia surgieron del ardiente infierno para adornar una pantalla de cine cerca de ti. Es la película que Satanás quiere que todos vean, y éste es el póster que atraerá a miles de bienhechores despistados al lado oscuro.

◀ **Paso uno** Antes de empezar el boceto integral de un póster de película en blanco y negro, es importante que leas el guión para que conozcas la trama, los personajes y el ambiente de la película. Si no existe un guión real, haz lo que yo, crea una ilustración exagerada llena de demonios, monstruos y, por supuesto, el personaje estelar, el ángel caído.

▶ **Paso dos** Cuando hayas decidido el ambiente, el siguiente paso es hacer el elenco de los personajes y un boceto preliminar con lápiz negro en papel calca. Este diseño honra a los pósters de películas de los años 1960 y 1970, que solían presentar un montaje de los personajes principales de la película. El retrato del ángel siniestro aparece grande en el centro, rodeado de varias criaturas de la noche. Para que te inspires para crear tu propio elenco de personajes, busca diseños de criaturas hechos por tus artistas favoritos. También puedes tomar fotos de la gente y exagerar o distorsionar sus facciones.

Paso tres Después, sé estratégico cuando orientes los personajes secundarios para que creen una composición dinámica. En este diseño, todos tienen tamaños ligeramente diferentes y no compiten entre sí. Las alas del demonio que está en la parte superior le recuerdan al espectador que el personaje principal es un ángel caído. El hecho de que se salgan del marco da energía al diseño. Cuando el dibujo lineal esté completo, dedica tiempo a las sombras para decidir si la imagen funciona gráficamente.

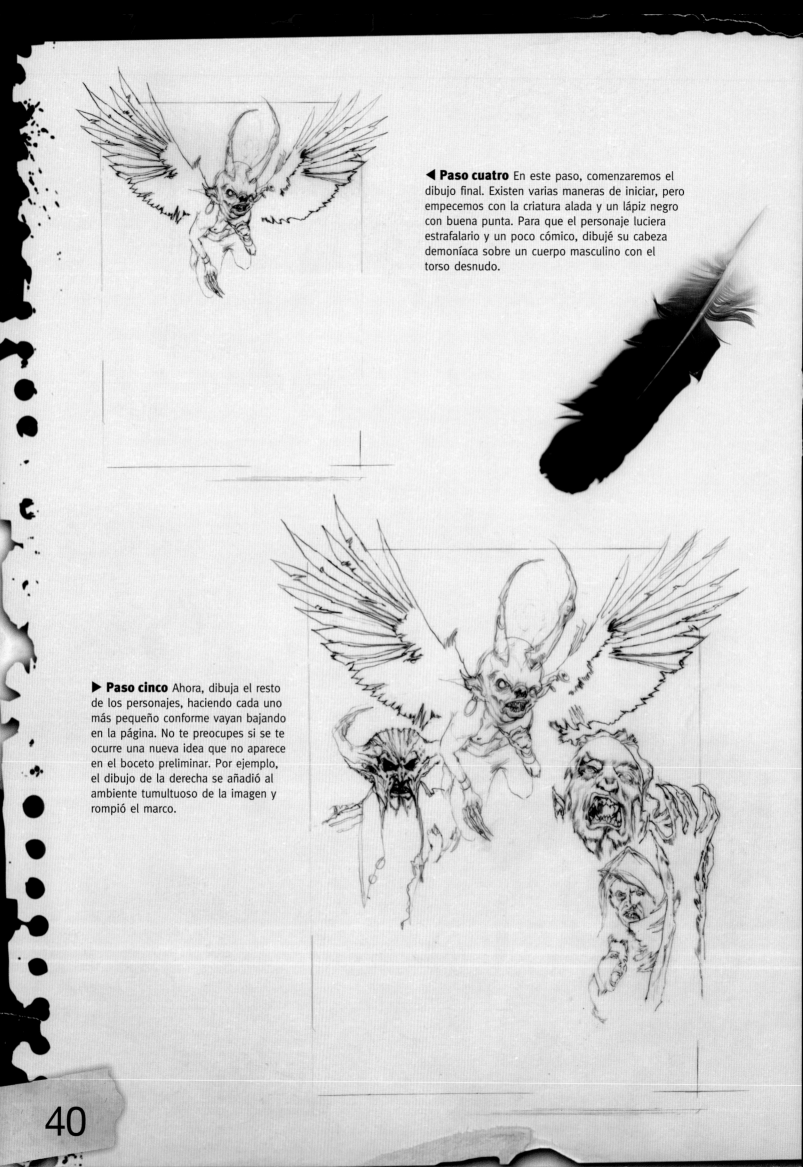

◀ **Paso cuatro** En este paso, comenzaremos el dibujo final. Existen varias maneras de iniciar, pero empecemos con la criatura alada y un lápiz negro con buena punta. Para que el personaje luciera estrafalario y un poco cómico, dibujé su cabeza demoníaca sobre un cuerpo masculino con el torso desnudo.

▶ **Paso cinco** Ahora, dibuja el resto de los personajes, haciendo cada uno más pequeño conforme vayan bajando en la página. No te preocupes si se te ocurre una nueva idea que no aparece en el boceto preliminar. Por ejemplo, el dibujo de la derecha se añadió al ambiente tumultuoso de la imagen y rompió el marco.

◄ Paso seis Pasemos al personaje principal. Primero, haz un dibujo lineal antes de hacer las facciones y los matices de la cara del ángel caído. Quizá te encuentres con que las proporciones de tu boceto preliminar ya no funcionan. En el mío, parecía que el ángel caído traía un tocado tipo Carmen Miranda, así que aumenté su tamaño en 25%. Con un lápiz gris al 50% cálido haz que sobresalga un poco más. Este lápiz también te facilitará el control de los valores sutiles. Ahora, utiliza el lápiz negro para repasar los acentos oscuros de los ojos y el tono oscuro de su barba.

► Paso siete La casa encantada se creó con base en varias fotos arquitectónicas. Lo más importante que debes recordar cuando plasmas edificios y paisajes reales, son las líneas limpias y la perspectiva exacta. Fíjate que la forma de las ventanas y las grietas son variadas, y que añadí un follaje escalofriante al ambiente. Para evitar que la atención se desvíe del centro principal del póster, conserva los cambios con valores mínimos, y los matices consecuentes. Si usas el lápiz gris al 50% frío en la casa, lograrás que el valor no se vuelva tan oscuro.

▶ Paso ocho Continúa trabajando con el lápiz gris al 50% frío para matizar los patrones de sombras largas de los personajes secundarios. Intenta variar la dirección de la calidad de la línea y de los trazos para darle movimiento a la imagen y atraer la atención hacia su vestimenta. Exageré los gruñidos y las muecas, pero no al grado de desviar la atención del ángel.

◀ Paso nueve En este paso, completaremos el resto de la cara. Usa el lápiz gris al 50% cálido para definir sus facciones con trazos cortos y uniformes. Si usas líneas onduladas para el vello facial se distinguirán de las otras líneas. Después, repasa la cicatriz, acentúa los ojos y la barba con el lápiz negro para darle profundidad al dibujo.

42

▶ **Paso diez** Continúa trabajando hacia abajo el resto de los personajes. Deben permanecer en su mayoría en la sombra, y los cambios en sus valores deben conservarse al mínimo. Recuerda que las sombras principales son fuertes y el matiz debe coincidir. Usa el lápiz negro en las zonas de las sombras. Luego, termina de marcar los toques de luz con la punta de una goma. Para el borde, dibujé una hiedra con espinas para romper lo anguloso del marco.

◀ **Paso once** La luna detrás del ala le da más dramatismo al ambiente y a la composición general del póster. Utiliza el lápiz gris al 30% frío para darle más fuerza a la luna. Luego, usa la goma para hacer la niebla que la envuelve.

◀ **Paso doce** Usa el lápiz negro en la parte media superior de la mano de la derecha. Después, cambia al gris al 30% frío para la muñeca. Esto asegura una transición agradable de la mano al ambiente nebuloso. Puedes utilizar un lápiz más claro para las llamas (o nubes, según tu apreciación) del fondo.

▶ **Paso trece** En este último paso, haremos algunos ajustes menores. Empieza por iluminar todos los toques de luz y el borde con la goma. Después, suaviza algunos bordes, sobre todo en el fondo del marco y la sombra principal de la frente. Hazlo jalando la goma ligeramente hacia atrás y hacia delante en el dibujo. En esta etapa, el dibujo quedará listo para que el director lo apruebe. Una vez hecho eso, harás un boceto integral coloreado antes de entregar la ilustración final del póster de la película.

ángel bueno/ ángel malo

El ángel de la guarda

Las preguntas sin respuesta que complican la supuesta existencia de ángeles de la guarda hacen de estos temas favoritos del arte y de la tradición los más atractivos. Si realmente existen, ¿a todos los mortales se les asignan ángeles individuales que procuran su bienestar? Si es así, ¿por qué le siguen pasando cosas malas a la gente buena? Los curiosos fanáticos de los ángeles también reflexionan sobre cuál es el nivel de los ángeles de la guarda, y si los seres humanos reciben su protección en cuanto nacen al mundo.

Muchos teólogos hacen referencia a las parábolas sagradas de la Biblia cuando defienden la idea de la existencia de los ángeles guardianes. En Salmos 91:11-12 dice: "Pues Él dará órdenes a sus ángeles acerca de ti, para que te guarden en todos tus caminos. Te llevarán en sus manos, para que tu pie no tropiece en la piedra". Pero muchos han argumentado que la evidencia no es del todo convincente, lo que no es injustificado considerando que el pasaje de Salmos es uno de los dos contenidos en la Biblia que hacen alusión a la existencia específica de los ángeles de la guarda.

Juan Calvino era un negativista que creía más probable que un grupo de ángeles se reuniera para ocuparse de la salvación de la humanidad, que un ángel tuviera como tarea la obligación de proteger a todos, o que se le asignara un espíritu guardián a un individuo para guiarlo por la vida. Si en realidad a cada persona de la tierra le correspondiera un ángel de la guarda y si estos conforman el orden más bajo de las nueve órdenes de ángeles, significaría que existe una cantidad exorbitante de ángeles en el cielo, una población que superaría por mucho a la población humana.

Un gran misterio también envuelve la apariencia de los ángeles de la guarda cuando se manifiestan en el mundo de los vivos. Los teólogos coinciden en que la forma que adquieren los ángeles para cumplir con sus órdenes sagradas en la tierra no es la de entidades vivas, aunque en muchos casos, pueden ser muy convincentes. Imitan la forma humana, pero carecen de la capacidad para realizar las funciones vitales de los seres humanos.

Que estos espíritus que pueden transformarse también se parezcan o no a los no cristianos, ha generado debates entre los teólogos durante siglos, pero los adeptos al movimiento de la Nueva Era están seguros de que cada uno tenemos un espíritu guía, un guardián espiritual con el que podemos comunicarnos a través de las formas adecuadas de canalización. No obstante, la Nueva Era no suele llamar ángeles a estos ayudantes, prefiriendo el término "guías" como una descripción más secular del concepto. A diferencia de los ángeles de la guarda, los espíritus guías fungen como contactos con los muertos, y es más probable que ayuden en vez de reprender a los humanos por sus pecados pasados o inminentes.

El ángel rebelde

Desde hace tiempo, los protagonistas de caricaturas y películas penden en el aire entre el bien y el mal, ya que un ángel bueno, con aureola y muy sonriente, les susurra en un oído, y un ángel malo (o a veces el diablo) les habla en el otro con una ceja levantada y una sonrisa malévola. Ésta es una interpretación de la cultura popular de las fuerzas opuestas que provienen de los reinos que están arriba y abajo del mundo humano, pero que se dice caminan entre los hombres: el ángel de la guarda y el ángel rebelde. Pero la tradición popular es quizá donde termina esta idea de que cada persona tiene un ángel bueno y un ángel malo. Aunque el teólogo lego y novelista C.S. Lewis ilustró en *Cartas del diablo a su sobrino* su creencia de que a cada humano se le asigna un demonio con el único propósito de alimentar la tentación, no existen referencias en la Biblia.

En el siglo XVI, el buen Juan Calvino contribuyó adjudicando el concepto de ángeles malos personales a imaginaciones desproporcionadas.

Que cada persona tenga un espíritu guía y un guía malo que no sean más que parte de la propia mente contradictoria, no significa que los ángeles rebeldes no entren en territorio humano con el objetivo principal de deshacer todo lo bueno que han hecho los ángeles de la guarda. Hasta la segunda venida de Cristo en la tradición cristiana, la actividad demoníaca sigue plagando la tierra a través de la tentación, la posesión, la obsesión y miles de actividades relacionadas con lo oculto, como la magia negra y la adivinación. La Segunda Carta a los Corintios dice a los cristianos que Satanás no sólo se disfraza de ángel de luz, sino que también miembros de su legión de demonios toman la apariencia de siervos honrados.

La obsesión de Lucifer con el poder en el cielo y la subsiguiente caída es una alegoría que se utiliza para advertir a gente poderosa y erudita de que el mal uso de sus talentos provoca daños y sufrimientos. En ese contexto, igual que Lucifer, todos somos ángeles rebeldes en la práctica. Casi todos contamos con la capacidad de superarnos y lograr la grandeza. Nosotros decidimos el estado de nuestra alma.

Sé mía

Ni siquiera la Muerte se resiste al encanto de un adorable ángel guerrero. Está claro que no es suficiente con tener el corazón muerto en la mano, pues sólo uno fresco y humeante bastará para atraer a la mujer de sus sueños. En este proyecto, aprenderás cómo lo grotesco puede volverse caricaturesco, y que se necesita muy poco color para que un corazón cobre vida.

Materiales
- Papel vegetal
- Lápiz de color negro
- Goma
- Papel calca
- Photoshop® (opcional)

◄ Paso uno Empieza esta ilustración exagerada, pero escalofriante haciendo varios bocetos preliminares. Con ellos, te familiarizarás con los personajes y su estilo de caricatura. Experimenta con el lenguaje corporal y diferentes expresiones para ver qué es lo que funciona mejor.

► Paso dos Aquí, los bocetos preliminares son reducidos a una Muerte enamorada que lucha por la atención de un hermoso ángel elfo femenino. En este punto, es necesario trabajar la posición del cuerpo para que la composición de ambos personajes sea la adecuada.

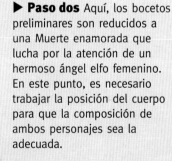

▶ **Paso tres** Fíjate que los personajes principales funcionen bien con todos los elementos. La columna vertebral de la Muerte, la guadaña, el vuelo de la falda del ángel y su cabello siguen un tosco círculo concéntrico. Como resultado, la atención siempre regresa a la interacción de los dos personajes.

◀ **Paso cuatro** En este paso, comenzaremos el dibujo final con el lápiz negro en papel vegetal. Primero, dibuja ligeramente a la chica, conservando sus facciones delicadas y atractivas. Como se supone que es una caricatura y ella tiene que verse más joven, su cabeza es 20% más larga que el resto del cuerpo.

◀ **Paso cinco** Ahora trabajemos el rostro. Empieza marcando el contorno de sus facciones con un valor más oscuro. No se requiere mucho más que un poco de tono y unos cuantos reflejos. La intención es que ella se vea joven y bonita, así que entre menos hagas, mejor.

▶ **Paso seis** Continúa matizando su cabello, siguiendo la dirección en la que fluye. Para sugerir movimiento, hay que conservar la suavidad de los bordes inferiores. Fíjate que los diseños de su breve armadura son curvos y femeninos.

◀ **Paso siete** A continuación, marca la personalidad bobalicona de esta Muerte. Le di ojos grandes y miopes para que se comiera con la mirada a este hermoso ángel. Después, dibujé una exagerada mandíbula inferior que sobresale para darle una sonrisa boba. Lo dibujé más grande que el marco para romper con el borde recto.

▶ Paso ocho En este paso, usaremos un valor medio en la enamorada Muerte. Fíjate cómo el diseño de las formas de la cara y los pliegues de la túnica luce deliberado. Agregar sangre que escurre debajo del nuevo corazón es una manera de equilibrar la naturaleza caricaturesca de esta ilustración con una imagen dantesca.

◀ Paso nueve Ahora, vamos a oscurecer más los valores de la Muerte y a matizar las áreas de sombra. A partir de este punto, puedes comenzar a agregar más detalles a la túnica. Los bordes rasgados, los puntos y los botones contribuyen a su personalidad y lo vuelven visualmente más interesante. Fíjate cómo se alteró la parte inferior de su túnica. El borde recto se veía sin chiste en el paso anterior. Al romper la línea y crear una forma más gráfica, el ojo del espectador sube con más facilidad hacia la parte superior del marco.

51

◄ Paso diez Regresa al ángel para oscurecer el valor de su cabello. A partir de aquí, concéntrate en los detalles de su ropa. A diferencia de los detalles de la Muerte, las líneas y las formas del ángel son curvas y limpias para indicar que ella es pura. Aunque están pegadas a la armadura, sus alas son suaves y esponjosas. Para lograr que la textura de las alas luzca suave, delinea cada pluma rápido y muchas veces con un valor claro.

► Paso once Ahora, con una goma crea el humo que sale del corazón, representando el amor ardiente que la Muerte siente por el atractivo ángel. Agregando mucho deterioro por uso, la guadaña luce tan vieja como su dueño. La maltrecha hoja está sujetada en su lugar por vendajes sobrenaturales, cuyos extremos arrugué para darles más personalidad. El báculo tiene un parecido inquietante al muy largo fémur de alguna criatura antigua.

▶ Paso doce Vamos a darle aún más color a la túnica de la Muerte, ya que, después de todo, intenta impresionar a la mujer de sus sueños. Para hacer que parezca que la tela de la túnica alguna vez fue fina y bordada, dibuja con mano ligera patrones de espirales apretados. Después, matiza la túnica completa con un par de valores más oscuros.

◀ Paso trece Hay muchas cosas en los bordes del dibujo. La orilla recta del marco ayuda a equilibrar las alas, la guadaña, el báculo y la túnica. Para que se vea sólido y resistente, dibujé tornillos alrededor del marco. A continuación, apliqué un valor más oscuro en su interior para darle profundidad. A veces, el espacio negativo pide a gritos un elemento. El espacio que hay entre el ángel y el marco luce vacío, y la espantosa, larga y flaca araña era ideal para llenarlo.

▲ Paso catorce La falda del ángel brilla y el dobladillo tiene puntos tenues para que parezca que la tela es metálica. Este efecto ayuda a armonizarla con el top que viste. La naturaleza gráfica y angular del dobladillo de la falda crea un borde sólido para la parte baja. Se matizan algunas sombras debajo de ella para que parezca que está frente a la falda y el marco.

▶ Paso quince Para que este dibujo de verdad cobre vida, tienes la opción de escanearlo en Photoshop®, donde puedes darle más dimensión.

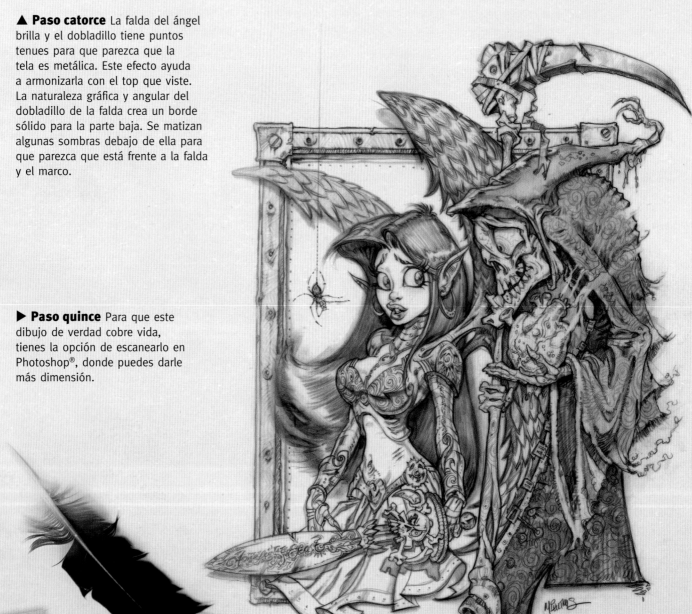

▶ **Paso dieciséis** Comienza por oscurecer el dibujo en Photoshop® seleccionando "niveles" y ajustándolo a tu gusto. Luego, elige la herramienta quemar para oscurecer todas las sombras. Fija la exposición aproximadamente en 50% y la dureza en cero. Ahora, selecciona "tonos medios" como el rango. Así das más dimensión a la ilustración y acercas al frente los elementos importantes.

▶ **Paso diecisiete** A continuación, daremos más brillo a los toques de luz. Selecciona la herramienta goma y ajusta el diámetro del pincel a los requerimientos del área a trabajar. Los toques de luz deben verse naturales, sin bordes fríos. Para lograrlo, mantén la opacidad en 50% y la dureza en cero.

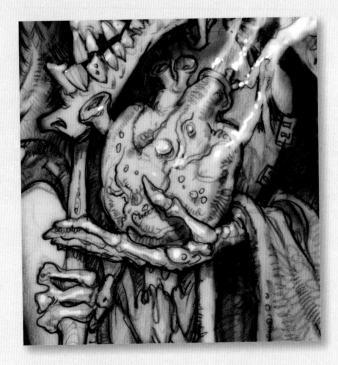

◀ **Paso dieciocho** Ahora, el romántico y reconfortante regalo. El corazón, junto con todas sus venas y sus valores, ya está dibujado. Lo único que resta por hacer es agregar un poco de color.

▶ **Paso diecinueve** Primero, selecciona la herramienta brocha, conservando la opacidad en aproximadamente 50% y la dureza en cero. El "modo" debe estar en "multiplicar". Luego, aplica el valor medio eligiendo un rosa oscuro de la paleta de color y pinta todo el corazón. Cuando termines de darle color, vuelve a la paleta y elige un rojo profundo. Ajusta el diámetro en consecuencia y repasa el corazón, pintando alrededor de su perímetro para oscurecerlo, y por lo tanto haciendo que cambie de forma.

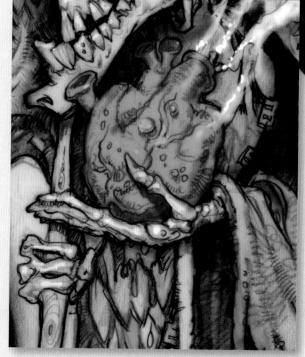

◀ **Paso veinte** Para crear las venas, disminuye el tamaño del diámetro de la brocha y elige de la paleta un color azul violeta. Empieza a pintar las venas ya dibujadas, pero siéntete con la libertad de agregar otras nuevas o pústulas. No tiene que quedar exacto, basta con que se vea desagradable. A continuación, cambia a la herramienta goma y disminuye el diámetro aún más. Conserva la opacidad en 50% y crea un toque de luz en el centro de las venas que son iluminadas por la luz.

▶ **Paso veintiuno** El efecto del vapor se logra de manera similar. Empieza usando la herramienta goma con movimientos circulares, borrando al azar el centro del vapor. Luego, regresa a la herramienta brocha y reduce la opacidad a 20%. Yo elegí morado para el resto del vapor porque complementa los tonos verde grisáceo de la ilustración.

ángel steampunk

Steampunk puede describirse de muchas maneras: victoriano-industrial con un toque banal; espiritual con un poco del siglo XIX; ciencia ficción que se encuentra con el romance. Agrega un ángel a la mezcla y tendrás un ser alado que puede hacer mucho más que sólo volar. Con artefactos futuristas, es una fuerza imparable, una máquina que no sabe qué es la piedad.

Materiales
- Papel vegetal
- Lápiz de color negro
- Lápiz de color rojo toscano
- Goma
- Papel calca
- Photoshop® (opcional)

▶ **Paso uno** El steampunk es uno de mis géneros favoritos para ilustrar. Esta obra es un ejemplo de cómo haría le dibujo de producción de una película que requiriera un personaje steampunk. El objetivo es diseñar una tecnología creíble que le permita volar al personaje. Comienza por hacer un boceto preliminar con un lápiz de color negro con buena punta en papel calca. Incluye todos los artefactos de manera burda. Luego, haz que el ángel extienda sus alas con orgullo para que sobresalga de entre el resto de los elementos.

◀ **Paso dos** Después, empieza el dibujo final con el lápiz de color rojo toscano en papel vegetal. El lápiz da la sensación de que el dibujo es añejo. Siéntete con la libertad de cambiar algunas cosas del boceto preliminar para que quede bien, como lo hice yo. Repito, tomé como referencia una foto de la sesión para la portada, sobre todo el rostro y la anatomía. Fíjate que todos los artefactos y las armas vayan de acuerdo con su forma para que no estorben.

▶ Paso tres Cuando logres el efecto que deseas en el boceto, regresa y comienza a trabajar el rostro. Intenta conservar los trazos fuertes y cortos. Le hice una barba de chivo diabólica y un ojo detallado que se une a la oreja. Me detuve ahí porque me gusta la imagen de boceto inconcluso que tiene el dibujo hasta aquí.

▲ Paso cuatro En este paso, trabajaremos las armas que trae en el pecho. Recuerda que los personajes steampunk tienen cualidades únicas que responden a un objetivo futurista. Para atrapar el sentimiento, varía los tamaños y las formas, conservando la sencillez de éstas. Fíjate que las armas del pecho están hechas en su mayoría con círculos, esferas, cilindros y rectángulos.

▲ **Paso cinco** Ahora, empieza el diseño del ala derecha y trabaja hacia abajo. El ala es sobre todo un tema de indicación. Las alas son metálicas, así que hay que dibujarlas con bordes rectos y duros. Las secciones medias de las plumas están cubiertas con puntos, como si fueran tornillos.

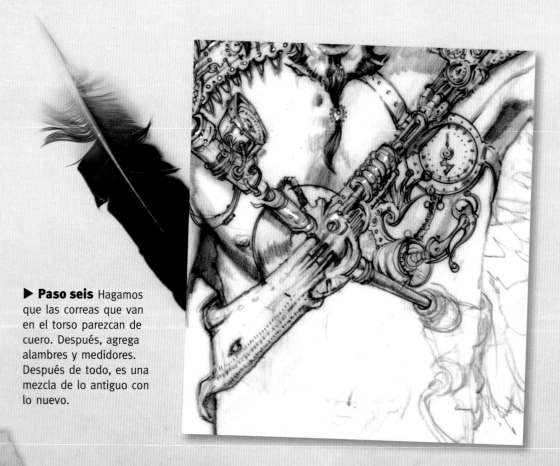

▶ **Paso seis** Hagamos que las correas que van en el torso parezcan de cuero. Después, agrega alambres y medidores. Después de todo, es una mezcla de lo antiguo con lo nuevo.

▶ Paso siete A continuación, termina el brazo derecho. Para que el mecanismo sea creíble, es importante que crees uniones fundamentales para el hombro y el codo. La muñeca también necesita espacio para moverse.

▲ Paso ocho Con todo lo que sucede con tanto equipo, el dibujo bien podría empezar a verse robótico y tieso. Para evitarlo, utiliza formas orgánicas y curvas, y muchos bordes rectos en el diseño. También es útil incorporar materiales suaves como el cuero de los hombros del ángel, las tiras que van en el torso, el cinturón, y la tela del pantalón.

▲ **Paso nueve** Por el físico, es evidente que se trata de un ángel rudo. Aun así, tiene que verse ligeramente excéntrico. Eso se expresa con el equipo poco común que usa, así como los matices menos obvios, como la posición de su mano izquierda y el clip que doma su barba de chivo.

▶ **Paso diez** Si la representación simplificada del torso y los valores se conserva simple, permitirá que funcione como lienzo limpio para las alas y sus mecanismos. Primero, oscurece los valores que van detrás del cuerpo del ángel para crear más contraste entre el fondo y él. Después, agrega pequeños trazos en diferentes direcciones en el espacio negativo que hay entre el cuerpo y el brazo derecho. Así indicas las complejidades del ala derecha, evidentes incluso en la sombra. Para el fondo, diseña trazos en forma de espiral con un valor claro para que parezca que él irradia energía.

◀ **Paso once** En el ala extendida, diseña un patrón de plumas metálicas que aumente de tamaño conforme radian hacia fuera. El valor de las plumas debe ser más claro para evitar que se vean pesadas en la parte inferior. Agregar rayos como de ruedas y engranajes entre cada hilera, hace que el ala se vea funcional y atractiva.

▼ **Paso doce** En este paso, tienes la opción de escanear el dibujo en Photoshop® para pasar a la siguiente etapa.

▶ Paso trece Así es mi oficina cuando trabajo digitalmente. Tengo tres monitores de 30 pulgadas y una tableta digital en la que puedo dibujar directamente. Usé las tres pantallas sólo para este proyecto. Como puedes ver, en la pantalla de la extrema izquierda está el dibujo original escaneado, para que siempre pudiera consultarlo. Las otras dos me permitieron hacer un acercamiento y trabajar más en el dibujo.

▲ Paso catorce Si cuentas con él, Photoshop® es ideal para terminar este dibujo. Es rápido y accesible, características invaluables cuando el tiempo apremia. Usé principalmente las herramientas goma y quemar para los toques de luz y para oscurecer algunas áreas de sombra.

▶ Paso quince Estas áreas son buenos ejemplos de dónde se usó la herramienta goma para marcar los toques de luz. Primero, selecciona la herramienta goma y cambia el diámetro del pincel a uno adecuado para el tamaño del área en la que estás trabajando. Conserva la dureza en cero para los toques de luz suaves y metálicos. La opacidad puede variar entre el 30 y el 90%. Las telas tienen una opacidad menor porque son menos reflectantes. El material altamente reflectante tiene mayor opacidad.

▲ Paso dieciséis En este último paso, usa la herramienta quemar para oscurecer las partes que deben desvanecerse, como debajo del brazo y detrás del torso. Después de seleccionar la herramienta quemar, elige "tonos medios" para el rango. La exposición debe permanecer aproximadamente en 50% para que puedas controlar el valor.

Capítulo 3:
Cómo pintar
ángeles caídos

material para pintar

Por lo general, pintar es más difícil que dibujar porque, además de los trazos y los valores, también debes considerar el color y sus muchos aspectos, la saturación, el tono, la mezcla de pintura, los esquemas de color, etcétera. Siguiendo paso a paso los proyectos de este capítulo, obtendrás ideas para trabajar con el color y hacer tus cuadros. Este capítulo se concentrará en cómo pintar, pero, igual que en el Capítulo 2, tendrás la opción de terminar las pinturas con algunos detalles digitales.

Cepillo de dientes

Pinturas acrílicas

Paleta

Lista de materiales

Para hacer los proyectos de pintura contenidos en este libro, tendrás que comprar el material que se enlista a continuación. Fíjate que al inicio de cada proyecto encontrarás una lista con el material exacto que se necesita para cada sujeto:

- Pinturas acrílicas: carmesí alizarina, negro, siena quemada, rojo cadmio, violeta azulado claro, blanco titanio, amarillo ocre
- Gouache blanco y negro
- Lápices de colores: negro, rosa, terracota, rojo toscano, blanco y una buena variedad de otros colores
- Papel vegetal multimedia
- Papel de polipropileno blanco brillante
- Tabla de conglomerado (28 x 43 cm)
- Gesso blanco
- Medio mate
- Fijador en espray que pueda trabajarse sobre él
- Paleta
- Variedad de pinceles sintéticos del #00 al #6 (muy chico a mediano)
- Brocha grande, como las que se usan para pintar la casa
- Toallas de papel
- Cepillo de dientes viejo
- Limpiador para vidrios
- Tazón con agua
- Papel de borrador
- Goma
- Sacapuntas
- Aerógrafo
- Escáner o fotocopiadora a color

Goma

Pintura acrílica

El acrílico es una pintura de secado rápido que contiene pigmentos suspendidos en una emulsión de polímero acrílico. Las pinturas acrílicas se diluyen en agua, pero se vuelven resistes a ésta cuando se secan. Dependiendo de cuánto se diluya (con agua) o se modifique con geles, medios o pastas, el terminado de la pintura acrílica puede parecer acuarela u óleo, o tener características únicas que no se logran con otros medios. Puedes aplicar el acrílico en capas delgadas, diluido, o en trazos gruesos, como en el impasto.

Pinceles

Cuando usamos acrílicos, recomendamos pinceles de pelo sintético. Para los proyectos de este libro, necesitarás variedad en los tamaños, desde el 00 (muy pequeño) hasta el 06 (mediano). También considera adquirir una variedad de pinceles de cerda. Los pinceles redondos tienen cerdas que se adelgazan en la punta, permitiendo una gran variedad en el tamaño de los trazos. Los pinceles planos tienen cerdas que terminan en punta cuadrada. El borde plano produce líneas gruesas, uniformes. Además de estos pinceles para acrílico, también necesitarás una brocha gorda como las que se usan para pintar la casa —un pincel grande con cerdas gruesas—. Estas brochas son perfectas para cubrir rápidamente el lienzo con grandes aguadas de color. Si tienes un aerógrafo, úsalo cuando se sugiera en los proyectos, ya que produce gradaciones increíblemente suaves y realistas que es difícil lograr con los pinceles.

Busca inspiración Mientras aprendes a dibujar y a pintar ángeles, es una buena idea que te rodees de suficientes estímulos visuales. Toda una esquina de mi estudio está dedicada a libros de consulta y artículos.

Pinceles

Lápices de colores

Superficies para pintar

Puedes usar la pintura acrílica prácticamente en cualquier superficie, siempre y cuando no esté grasosa o encerada. El resultado es que tienes mucha flexibilidad en la superficie para pintar. Sin embargo, lo mejor es pintar en lienzos o papel ilustración cubiertos con gesso blanco (un revestimiento que se utiliza para volver una superficie apta para pintar). Cuando uses óleos, el lienzo (también cubierto con gesso) es ideal. Recuerda que entre más brillante (o más blanca) esté la superficie donde vas a pintar, ¡más luminosos se verán los colores!

Lápices de colores

Los lápices de colores no sirven sólo para dibujar, también son herramientas estupendas para añadir detalles a una pintura. Si trabajas directamente sobre la pintura acrílica, puedes agregar toques de luz, intensificar las sombras, crear hebras de cabello, y más. Es importante que compres los mejores colores que puedas. Los lápices de buena calidad son más suaves y tienen más pigmento, lo que te brinda una cobertura más suave y más sencilla.

retrato de un ángel caído

Su descenso al infierno lo dejó molido y torpe hasta la médula. Y entonces ¿por qué esa mirada penetrante y sonrisa sexy que, sin duda, hacen tan atractivo a este ángel caído? Así son las cosas con estos tipos demoníacos. Igual que el mismo Satanás, el chico de nuestra portada tiene los medios para seducir a los corazones más puros, y hacer olvidar a sus dueños todo lo que tenga que ver con portarse mal.

▶ **Paso uno** En última instancia, este proyecto será un retrato muy bien trabajado del amenazador, pero atractivo ángel caído de la portada. El retrato está basado en la imagen de la cara de un estupendo modelo masculino que tiene una expresión ligeramente agresiva. Comencemos con un rápido boceto y un lápiz color terracota para el dibujo.

Materiales
- Pinturas acrílicas: carmesí alizarina, siena quemada, rojo cadmio, azul violeta claro, blanco titanio, amarillo ocre
- Paleta
- Medio mate
- Variedad de pinceles chicos para acrílico
- Brocha para pintar la casa, grande y vieja
- Tabla de conglomerado (28 x 43 cm)
- Papel vegetal
- Lápices de colores: negro, rosa, terracota, rojo toscano, blanco y una buena variedad de otros colores
- Sacapuntas eléctrico
- Gesso blanco
- Goma
- Aerógrafo
- Escáner o fotocopiadora

◀ **Paso dos** Fíjate cómo jugué con unas cuantas luces y sombras, pero elegí una sola fuente de luz intensa del lado izquierdo. También es útil hacer notas para recordar los elementos que quieres añadir a la ilustración. Para las sombras y el cabello, dale una rociada rápida con el aerógrafo, una mezcla de siena quemada con agua funciona muy bien.

#1 TEXTURA/ALAS
#2 SOMBRAS PROFUNDAS
#3 ¿SILUETAS DE LAS ALAS?
#4 FORMAS ORGÁNICAS
#5 FONDO LIMPIO
#6 PROFUNDIDAD
#7 TONOS DE PIEL FRÍOS
#8 INICIO CÁLIDO
#9 CABELLO INDICA CUERNOS
    (SUTIL, SEGUNDA LECTURA)

ALAS PEGADAS A...

LUZ

OSCURO A CLARO
FUERTES SOMBRAS PRINCIPALES

▶ Paso tres Después de decidir la composición, comienza a dibujar. Con la fotografía del modelo pegada en mi mesa, empecé el dibujo con el lápiz terracota en una hoja de papel vegetal. Usar un lápiz de color cálido evita que desentone con los colores que aplicaremos cuando el dibujo esté terminado. Ayuda mucho mantener el lápiz con buena punta. También colocar varias hojas de papel debajo hace que el lápiz "rebote" ligeramente.

◀ Paso cuatro Puedes ver que hasta las figuras del cabello están diseñadas con cuidado. También hay algunas formas largas y oscuras para restarle importancia a cada hebra. Usa el costado del lápiz para marcar las sombras principales con un valor más claro. Después, con cuidado, matiza las sombras oscuras con trazos constantes. De inmediato, se crea la impresión de profundidad.

▶ Paso cinco Ahora, indica ligeramente los patrones de luz y sombra con trazos de lápiz que sigan la anatomía. En algunas áreas, como la barba, cambia al lápiz rojo toscano; el resultado es un valor ligeramente más oscuro. También ayuda a diferenciar el vello facial del resto del rostro.

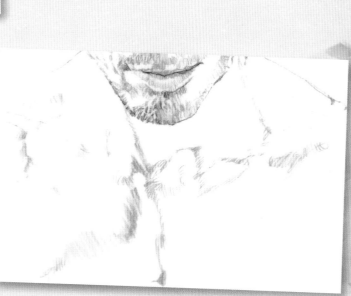

71

Paso seis En este paso, continuaremos rellenando el resto de las áreas de sombras. Es importante que el cabello y los ojos sean las partes más oscuras de la pintura. El modelo que usé tiene facciones extremadamente simétricas que hay que endurecer. Después de todo, este ángel caído ya tiene algún tiempo rondando por aquí. Le retorcí el puente de la nariz curveando la sombra principal que corre por la parte superior. Al levantar un poco la comisura derecha de su boca le regalé una sonrisa y le agregué arrugas alrededor de los ojos y la boca.

Paso siete Ahora las alas. Como es un acercamiento, no hay mucho espacio, pero queremos dar la impresión de que las alas son espléndidas, aunque intimidantes. Primero, dibújalas directamente fuera de la página y úsalas para enmarcar la cabeza. Conserva las líneas ligeras y caprichosas. Jugar con el tamaño de las formas ayuda a conservar la naturaleza orgánica de las alas.

Paso ocho Cuando se crea un elemento como las alas, es importante contar con mucho material de referencia para inspirarse. Fotos de aves en vuelo le dan más claridad a la anatomía de las alas. Entonces, puedes darles tu toque. Las alas de este ángel de las tinieblas recuerdan a un ave de presa prehistórica, con el cartílago expuesto y los bordes en forma de garras. Comienza con un valor medio general para mantener las alas en el fondo. Después, marca rápido las plumas, aumentando el tamaño conforme se acerquen al frente. Para que las alas se vean ligeramente maltratadas, separa y delinea unas cuantas plumas. Dejé algunos espacios, como si las plumas no hubieran vuelto a crecer después de alguna batalla especialmente desagradable.

▶ **Paso nueve** Experimentemos con los ojos antes de seguir adelante. Primero, haz una copia del dibujo en papel de fotocopiadora normal. Ahora, toma el aerógrafo y mezcla un poco de siena quemada, rojo alizarina y agua. Después, oscurece los ojos hasta que parezcan dos huecos negros brillantes.

◀ **Paso diez** Regresa al dibujo original, al que incorporaremos los ojos. Si los haces un poco menos oscuros, se verán con más detalle. A partir de este punto, usa el lápiz rojo toscano para oscurecer la zona alrededor de las cuencas oculares. Un par de hebras de cabello sueltas por la cara y una cicatriz de batalla en el lado izquierdo le añaden cierta intriga.

73

▶ **Paso once**

Ahora, terminemos las alas agregando detalles sólo a las plumas del frente. Fíjate cómo partes de las alas aparecen al frente de su torso, como si estuvieran envolviéndolo. Ésa es otra manera de enmarcar al personaje y crear un borde atractivo para la ilustración. Al dibujar fuera de cuadro, la composición evita la rigidez y sigue siendo emocionante.

▶ **Paso doce** Es hora de pintar. Coloca el dibujo en el escáner e imprime una copia en papel de fotocopiadora normal. Mi impresión mide 28 x 25 cm, pero puedes hacerla del tamaño que quieras. Después, monta la copia en la tabla de conglomerado y pásale un pincel con una mezcla de 50% medio mate y 50% agua. Así sellas la copia y es más fácil pintar sobre ella cuando está bien seca.

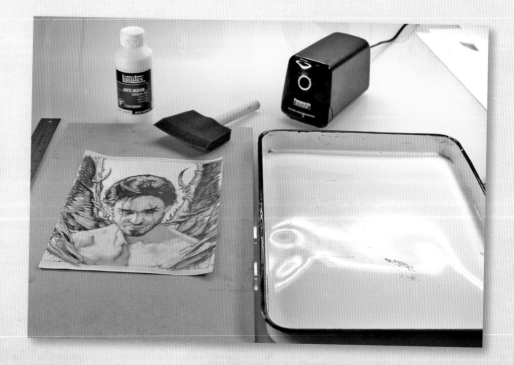

▶ Paso trece En este paso, aplicaremos los valores oscuros. Al hacerlo, puedes ver todas las figuras gráficas grandes y conservar los valores intactos. Toma el aerógrafo y llénalo con siena quemada. Luego, rocía ligeramente para marcar las sombras y las áreas oscuras, incluyendo el cabello, las alas y casi toda la cara.

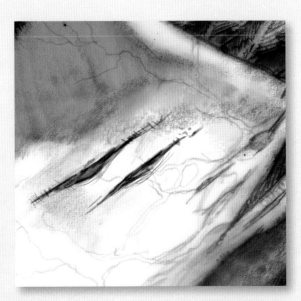

Paso catorce Ahora, con el lápiz siena quemada, dibuja un par de heridas en la piel debajo de la clavícula izquierda del ángel. La figura puede ser la que desees. Yo quise que las mías se vieran como laceraciones de un puñal o de una garra, así que las hice delgadas y muy marcadas. Después, delineé el perímetro de manera desigual. Luego, lo rellené con un valor más claro.

Paso quince Aquí, continuaremos usando el lápiz color siena quemada para marcar el cabello y formar dos puntas sutiles. Ahora el peinado de nuestro ángel se parece al de las representaciones populares del diablo. Para darle efecto, agrega protuberancias en forma de cuernos a las alas que sobresalen atrás de él.

75

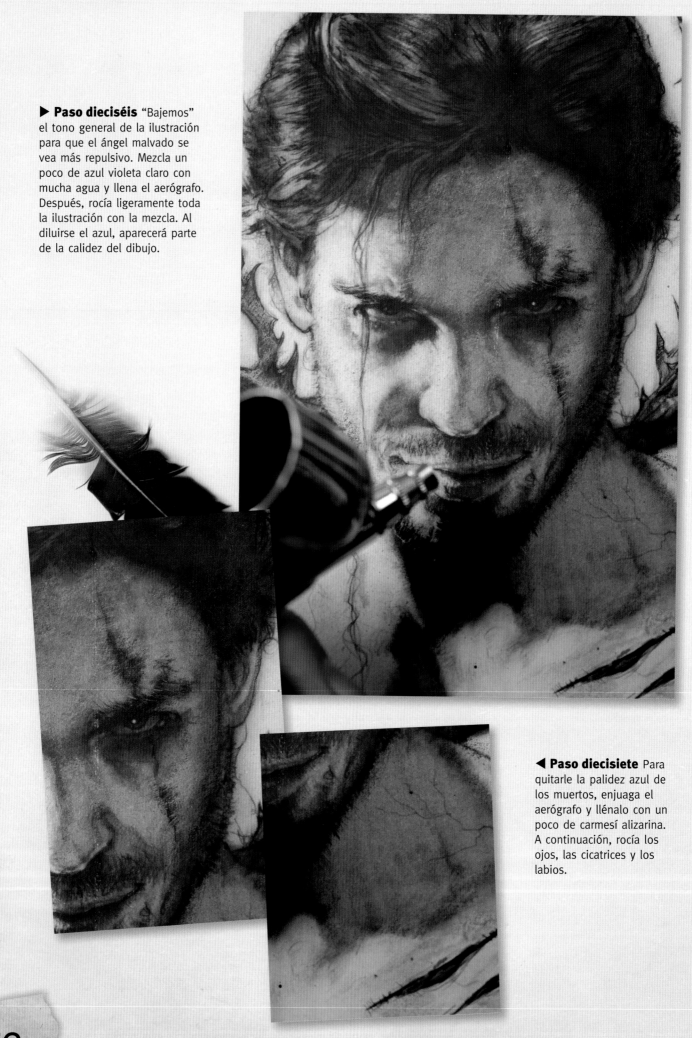

▶ **Paso dieciséis** "Bajemos" el tono general de la ilustración para que el ángel malvado se vea más repulsivo. Mezcla un poco de azul violeta claro con mucha agua y llena el aerógrafo. Después, rocía ligeramente toda la ilustración con la mezcla. Al diluirse el azul, aparecerá parte de la calidez del dibujo.

◀ **Paso diecisiete** Para quitarle la palidez azul de los muertos, enjuaga el aerógrafo y llénalo con un poco de carmesí alizarina. A continuación, rocía los ojos, las cicatrices y los labios.

▶ Paso dieciocho Con el lápiz blanco, comienza a aumentar los toques de luz del lado derecho de la cara del ángel. Recuerda conservar el lápiz con buena punta mientras trabajas alrededor de los ojos, la nariz, los labios y la frente. Los trazos son pequeños, pero limpios y respetan la anatomía de sus facciones.

◀ Paso diecinueve Ahora, recupera un poco de la calidez pintando las áreas de transición entre la luz y la sombra con una mezcla diluida de amarillo ocre. Luego, mezcla blanco titanio con carmesí alizarina para crear un tono más rosado para la punta de la nariz, las mejillas, las orejas y los labios.

▶ **Paso veinte** Para que los ojos y la cicatriz se vean más cálidos y más saturados que el resto de la cara, primero mezcla un poco de carmesí alizarina, siena quemada y agua con un pincel chico. A continuación, pinta las facciones hasta que logres los valores deseados. Usa un toque de rojo cadmio para el borde del ojo derecho, porque la luz da justo en él.

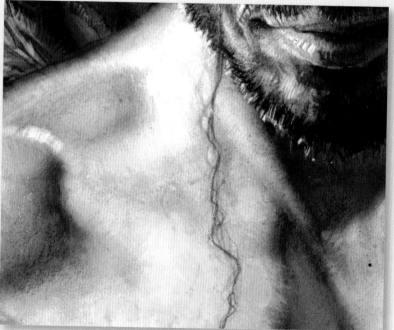

▶ **Paso veintiuno** Sigue los mismos pasos con los hombros y el pecho. Casi todos los cambios sutiles de colores cálidos y fríos se producen con las capas de color que se aplican al dibujo con el aerógrafo. Para los pectorales y los hombros, utiliza una mezcla de carmesí alizarina y amarillo ocre con mucha agua. Ligeros trazos con el lápiz rosa sobre las mismas áreas le dan textura.

▶ **Paso veintidós** Para marcar los toques de luz, usa un pincel chico y un poco de agua con el gesso blanco. Éste recoge el color que hay debajo, creando una transparencia natural. Fíjate que los trazos que hice con el pincel fueron fuertes. Con ello ayudas a mantener la integridad del dibujo que está debajo, así como las cualidades masculinas de este inquietante y oscuro ángel.

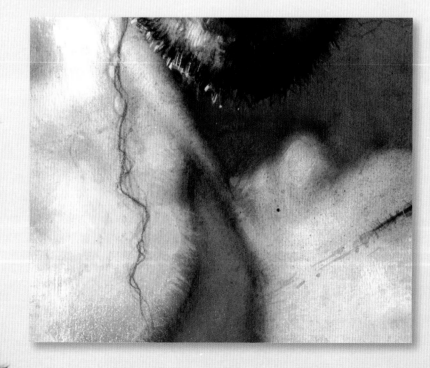

▶ Paso veintitrés Las manchas de sangre se hicieron muy rápido y fácil. Con el pincel mezcla agua con un poco de carmesí alizarina. Después, frota para crear manchas de pintura alrededor de las heridas profundas. Esto le da un toque de espontaneidad y de energía a la obra.

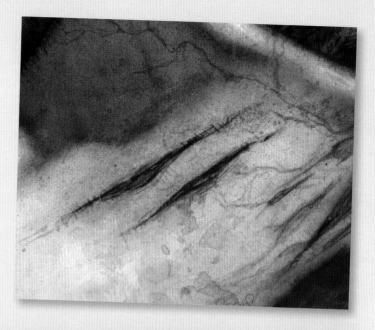

▼ Paso veinticuatro Dibujar esta ilustración es la técnica que requiere más tiempo. Cuando el dibujo y los valores estén a punto, sólo resta aplicar capas de mucho color y un poco de interpretación. Por eso las alas se ven mucho más detalladas de lo que en realidad están. Permití que el dibujo saliera a través de las capas de color cálido y frío que apliqué con el aerógrafo. Después, usa el lápiz blanco para agregar toques de luz a los bordes de las plumas más grandes que están al frente.

▶ Paso veinticinco Puedes jugar con el color en esta área. Sólo ten cuidado de no salirte de los valores de la familia de colores. Usé diferentes tonos de azul, amarillo y rosa en las plumas. No olvides diseñar los trazos del lápiz. Tampoco te alejes de los valores adecuados o las alas, no el ángel, atraparán la atención del espectador.

◀ Paso veintiséis Sigue el mismo proceso con el ala izquierda. Sólo que en esta ocasión, los valores tienen que ser mucho más oscuros porque está del lado de la sombra de la composición. No existen reglas para las alas, así que diviértete experimentando con las formas y los colores.

▶ Paso veintisiete El último paso es añadir más toques de luz para darle un poco más de brillo a la imagen. Toma un pincel delgado y agrega puntos de gesso puro a lo largo de la silueta de la cabeza del ángel y el costado de las alas. Estos acentos crean de manera rápida, pero eficaz, la apariencia de más detalle. También le añaden el elemento de "bling" a la ilustración en general.

ángel en el borde

Con los brazos grabados con las marcas de su tribu, nuestro ángel guerrero se aferra con firmeza a su antigua espada mientras mira con solemnidad hacia el mundo que está debajo. Pero ¿su mirada se dirige a la Tierra o al infierno? ¿O son lo mismo? La luz es la que crea el drama aquí. Y con este proyecto aprenderás a crear una figura que carece de la luz apropiada con intenciones indefinidas.

Materiales

- Gouache negro
- Lápiz de color negro
- Papel de polipropileno blanco brillante
- Una variedad de pinceles chicos para acrílico
- Un tazón de agua
- Toallas de papel
- Aerógrafo

◀ **Paso uno** Es una imagen de los materiales y el montaje que utilicé para esta pintura. Es muy sencillo, pero como verás, el papel de polipropileno combinado con el gouache negro es muy versátil y produce resultados increíbles.

▶ **Paso dos** Quería hacer una pintura de acuarela para este proyecto, pero buscaba un nuevo tipo de lienzo que no hubiera usado antes. El empleado de la tienda de arte me recomendó este papel de polipropileno, y me llevé una agradable sorpresa cuando experimenté con él. Antes de empezar la pintura, lo probé haciendo algunas criaturas simpáticas. Es sumamente durable y no es absorbente, lo que me llevó a elegir esta técnica.

▶ **Paso tres** Empieza con un dibujo preliminar del ángel antes de comenzar a pintar. Mi idea era ilustrar un ángel guerrero en cuclillas a la orilla de un precipicio, mirando hacia abajo. Fíjate que no está bien iluminado. Tomé como referencia la fotografía de un modelo para la posición del cuerpo. Sin embargo, también recurrí a un poco de invención. Es importante que estés sumamente familiarizado con la(s) figura(s) que estás inventando. Nada arruinará más pronto una increíble pintura que un dibujo impreciso.

◀ **Paso cuatro** Bien, es hora de pintar con un poco de gouache negro en una hoja de papel de polipropileno y un recipiente pequeño de agua. Aplica gouache directo en las alas con un pincel chico y pinta las formas. Como el papel es extremadamente suave y no absorbente, es fácil empujar y jalar la pintura y crear una variedad de trazos con el pincel.

▶ Paso cinco En este paso, suaviza los bordes toscos y dales brillo. Carga el aerógrafo con un poco de gouache negro y agua hasta que obtengas un color gris medio. Luego, mantén la presión del aire en 10 psi y rocía ligeramente todo alrededor del ala.

▼ Paso seis Rápido, repite el proceso en la otra ala usando sólo el gouache. No te preocupes por la saturación de la pintura negra o por hacer con precisión la forma del ala, en este papel la pintura es muy maleable y puedes manipularla más adelante.

▶ **Paso siete** Con el aerógrafo, aplica un valor medio en el cuerpo. No te preocupes por rociarlo en exceso, será parte del efecto de brillo. Decidí usar el aerógrafo en lugar del pincel porque quería que la textura de las alas fuera diferente a la del cuerpo.

▼ **Paso ocho** Ahora, marca con el aerógrafo el área de sombra en los hombros, el pecho y en la parte superior del muslo para empezar a crear el efecto de falta de luz.

▶ **Paso nueve** Técnica de pintura en aerosol. Fíjate cómo cambié la apariencia de las alas, abriéndolas hacia delante, como si fueran las alas de una orgullosa águila. La belleza de este papel radica en que te permite eliminar las áreas no deseadas con tan sólo pasarles encima un pincel húmedo. Utiliza la misma técnica en el cuerpo. Primero, limpia el pincel; después, mójalo. Ahora, empieza a "forjar" el torso. Hice esto en la parte inferior de sus músculos para hacer énfasis en la falta de luz.

◀ **Paso diez** Pinta la figura tosca del precipicio usando sólo pintura negra. Para darle una textura diferente, con una toalla de papel húmeda frota un poco de pintura para marcar áreas más grandes y más rocosas.

86

▶ Paso once Es divertido jugar con el peñasco porque ofrece variedad de texturas para experimentar, y además no es necesario ser preciso. Para esta imagen, basta puntear con el pincel para marcar las piedras. Después, jala la pintura hacia arriba y hacia abajo con el pincel húmedo para hacer las plantas. Vuelve a usar la toalla de papel para las rocas más grandes.

▼ Paso doce Ahora, con un pincel súper fino, húmedo, dibuja los rasgos de la cara del ángel quitando la pintura que se aplicó con el aerógrafo. Seguí la anatomía del rostro de la fotografía de referencia. La única diferencia fue que tuve que pintarla como si le hiciera falta luz. Si tienes problemas para imaginarte diferentes iluminaciones, convence a un amigo para que pose en las mismas condiciones. Es una estupenda manera de conseguir la sensación básica de luz.

87

◄ **Paso trece** Usa el pincel de punta fina para terminar el diseño de la espada. Quería que luciera como si fuera digna de un ángel, forjada por las manos de algún herrero sobrenatural. Para que parezca que el diseño es complicado, mantén las formas pequeñas y geométricas. También quería que los toques de luz sobresalieran como sólo lo logran los reflejos metálicos. Para conseguirlo, pinta con cuidado figuras con acento oscuro. Luego, humedece un pincel limpio y quita la pintura de las áreas que están junto a los acentos donde quieres los toques de luz.

▲ **Paso catorce** Pasemos a los tatuajes del brazo del ángel. Empieza dibujándolos con un pincel, como lo harías con un lápiz. Cuando inventas tatuajes, lo más importante es que sigan la forma de la anatomía en la que se plasman y reflejen la luz en consecuencia.

▶ **Paso quince** En este paso final, crearemos plantas más fibrosas y frondosas en el peñasco. También añadiremos pelusas misteriosas en forma de plumas que salen de las alas del ángel. Esto le resta seriedad a lo que de otra manera sería una atmósfera estoica. Por último, ilumina unos cuantos reflejos más, quitando la pintura de esas áreas para que quede al descubierto el papel blanco original. Es muy fácil eliminar la pintura incluso después de que seque. Recuerda que el papel no es absorbente, entonces lo único que necesitas es un pincel y un poco de agua. Pero si lo que quieres es sellarlo, entonces requerirás espray fijador.

ángeles de cerca

"Millones de criaturas espirituales caminan en la tierra sin ser vistos, cuando estamos despiertos y cuando dormimos".

John Milton en *El paraíso perdido IV*

Encuentros con ángeles alrededor del mundo

Existen libros y sitios web que hablan de apariciones de ángeles, programas de entrevistas dedicados a encuentros de humanos con "misteriosos desconocidos", e incluso evidencia en YouTube que afirma la presencia de ángeles. La escritora y conferencista Joan Wester Anderson se volvió una sensación en 1992 con su libro *Por donde los ángeles caminan, historias reales de encuentros con seres del cielo*, que permaneció en la lista de los más vendidos del *New York Times* durante más de un año, y se tradujo a catorce idiomas. Después de convertirse en integrante de programas de entrevistas y de documentales de ángeles, Anderson respondió a las demandas de sus adorados seguidores y lanzó *Cuando suceden los milagros, historias reales de encuentros con ángeles y otros seres del cielo* y *Un ángel que vele por mí, relatos reales de encuentros de niños con ángeles*, dos años más tarde. Sobra decir que un buen número de mortales son cautivados por los encuentros con ángeles, los que en este momento son tan frecuentes, que resulta difícil discutir la posibilidad de que los ángeles anden en la tierra.

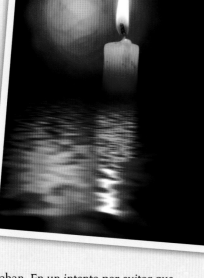

En un relato contemporáneo presentado en un sitio web dedicado a las interacciones con los ángeles, la escritora cuenta sobre un viaje que hizo con su mamá y su abuela cuando era niña. Se había alejado de su familia durante una caminata y cuando volteó para responder a su llamado, se dio cuenta de la grave situación en la que se encontraban. En un intento por evitar que su abuela cayera por el borde de un precipicio, su mamá la tomó del brazo y ambas cayeron a un costado de la orilla. "De la nada", dos hombres con ropa y equipo de montañismo que apenas hablaban inglés, aparecieron justo a tiempo para agarrar a la madre, levantar a la abuela y alejarlas del peligro como si no pesaran nada. Cuando todos recobraron la compostura, los buenos samaritanos ya habían desaparecido.

Un supuesto ángel que apareció en una cámara de seguridad fue la causa de que hubiera tantas especulaciones en Charlotte, Carolina del Norte, a tan sólo dos días de la Navidad de 2008. Colleen Banton decidió retirar el respirador artificial a su hija, que había estado hospitalizada por problemas crónicos de salud. Estando sentada en la sala de espera, la hermana de Colleen insistió en que levantara la vista hacia la cámara de seguridad. Cuando lo hizo, vio que una figura iluminada pasaba caminando frente a la pantalla. Milagrosamente, su hija empezó a mejorar después de que le retiraran el respirador artificial y volvió a casa luego de pasar tres meses en el hospital.

Por supuesto, las visitas de los ángeles para nada son un fenómeno moderno. La humanidad ha tenido encuentros con ángeles desde que existe el hombre. Recuerda a Zoroastro, quien se encontró con el ángel Vohu Mana, un ser nueve veces más grande que un hombre promedio. En la Biblia, Jacob lucha con un ángel hasta el amanecer. Éste le disloca la cadera a Jacob en el proceso, pero al final lo bendice porque permaneció fuerte frente a Dios. El poeta inglés William Blake también confesó haber visto ángeles en los árboles cuando tenía 10 años de edad, un acontecimiento momentáneo que influyó en sus textos y en muchas de sus pinturas.

Por eso este libro es tan útil. Si alguna vez te encuentras con un ángel que te ayude, que sea peleonero o de espíritu oscuro, sabrás bien cuál método es el adecuado para capturar su imagen, para que le sirva de referencia a la gente en los siglos por venir.

Cómo se comunican los ángeles

Es difícil establecer a partir de los relatos que tienen su origen en el folclore y en varias escrituras religiosas, si los ángeles que se presentan ante los humanos realmente se comunican con algún tipo de diálogo inteligible o si transfieren pensamientos de su mente a la mente del mortal. En su libro *Los ángeles y nosotros*, Mortimer J. Adler dijo que si le preguntabas a los teólogos, ellos dirían que los ángeles influyen y se comunican con sus contrapartes humanas de manera indirecta.

De acuerdo con Adler, los métodos que los ángeles usan para comunicarse son similares a aquellos que se utilizan para enseñar, así que piensa en la forma en la que un adulto le enseña a otro a cambiar una llanta. No se inculca ningún conocimiento, simplemente no es posible. Básicamente, se trata de mostrar, y quizá de decir algunas cosas. Los teólogos tampoco creen probable que los ángeles llenen la mente de los humanos con ideas. En su lugar, de la misma forma que enseñar se basa en dar ejemplos —vocabulario, fotos, movimientos— el impacto de los ángeles en el hombre está en su capacidad para afectar el sentido y la imaginación, que a su vez influye en la manera en la que funciona el intelecto humano.

En un relato increíble, un ángel sin duda afectó los sentidos, atacando todo. Teresa de Ávila (1515-1582), una santa favorita entre los católicos, afirmó que aunque nunca antes había visto un ángel, uno se le apareció en forma de cuerpo —un exquisito cuerpo de llamas—. Sin identificarse, hundió varias veces la ardiente punta de su lanza dorada en el corazón de ella. La sensación, según contó Teresa, fue agradable en lugar de dolorosa. Como resultado del increíble encuentro, Teresa juró que su alma sólo desearía a Dios a partir de entonces. Gran Lorenzo Bernini inmortalizó la experiencia en su famosa escultura *El éxtasis de santa Teresa* (1647-1652).

A la edad de 13 años, Juana de Arco, santa patrona de Francia, empezó a escuchar la voz de Dios y la convenció de que tenía que sacar a los ingleses de Francia. Con el tiempo, también escuchaba las voces de Catalina de Alejandría, Margarita de Antioquía, y del arcángel Miguel. Curiosamente, Juana creía que las voces eran de simples mortales que vivían en el cielo, salvo cuando venían a guiarla en la tierra. Miguel, en particular, le pareció un caballero. Cuando la capturaron a las afueras de Compiègne, después de su fallido ataque en París, el tribunal que la juzgaba llegó a la conclusión de que en realidad nunca la visitaron los santos y que sus esfuerzos para ver coronado a Carlos VII eran obra del diablo. Juana fue quemada en la hoguera acusada de brujería en 1431.

Los ángeles caídos, o demonios, desean comunicarse con los mortales —bueno, en muchos casos son los mismos mortales quienes los invitan. Los psicólogos que han tratado pacientes poseídos concuerdan con los cristianos en que hay un lazo entre las bases de lo oculto, como leer la suerte, participar en sesiones de espiritismo y consultar tablas de la Ouija, y las posesiones demoníacas. Desde el punto de vista cristiano, si utilizas esas cosas para adquirir conocimientos o poder, es porque actúas como Dios, sin mencionar que lo sacas completamente del cuadro. Si la tabla de la Ouija contesta tu pregunta y no estás jugando con alguien ansioso por hacerte una broma, es muy probable que un espíritu esté comunicándose contigo. Aunque creas que sea tu bisabuela María, es importante que recuerdes que uno de los muchos talentos de Satanás y sus ángeles caídos es fingir que son algo que no son.

la maldición de un ángel

Este demonio, atado a su lugar en el infierno por sus raíces, es la encarnación del mal y la desdicha. Retorciéndose de dolor, usa todo su poder para conseguir aunque sea un centímetro de libertad. Pero como ser soldado del ejército de Satanás no es gratis, el dolor y el sufrimiento incesantes, y la eterna maldición de ser un habitante eterno del infierno son el precio a pagar.

Materiales

- Pintura acrílica negra
- Gouache negro
- Gouache blanco
- Lápiz de color negro
- Lápiz de color blanco
- Papel vegetal
- Papel de borrador
- Dos o tres pinceles sintéticos chicos
- Toallas de papel
- Un cepillo de dientes viejo
- Un recipiente con agua
- Limpiador para vidrios
- Aerógrafo

◄ **Paso uno** Cuando los clientes vienen con una multitud de conceptos, pero su centro principal es la atmósfera, ésta es una de las mejores y más rápidas técnicas que pueden usarse. Empieza a trabajar en papel vegetal. Dibuja al ángel con el lápiz de color negro en el extremo izquierdo de la hoja. Llena el aerógrafo con acrílico negro y rocía toda la página, en ángulo. Aún con el aerógrafo, haz un marco oscuro detrás del malvado ángel.

► **Paso dos** Así es como arreglo mi mesa para pintar. Pon una tabla vieja debajo de la pintura para proteger la mesa. Una hoja de papel de borrador (o de desecho) es ideal para probar el aerógrafo y dejar de lado el sucio cepillo de dientes. No encontré mi recipiente para enjuagar los pinceles, así que tomé prestado el vaso de Halloween de mi hija. Cuando menos, combina con la atmósfera de la ilustración.

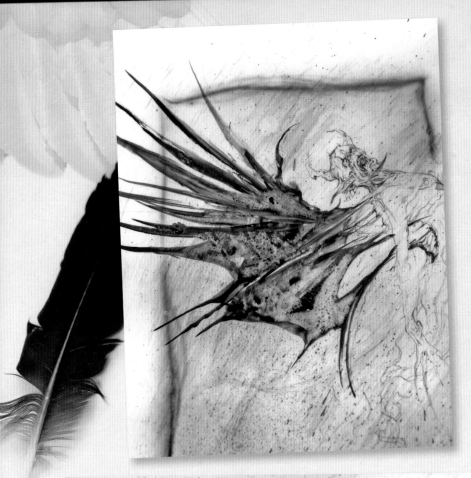

◀ Paso tres Para el ángel, cambia al gouache negro. Usamos acrílico negro en el fondo en lugar de gouache porque el primero se queda en su sitio aunque pintemos sobre él con agua. El gouache se corre y se manipula cuando le cae agua. Pinta las alas con un pincel sintético chico.

▼ Paso cuatro Para que las alas parezcan más telaraña, mezcla una parte de gouache con dos partes de agua. Después, pinta el ala y deja que se haga un charco de pintura. Luego, haz manchas de pintura con una toalla de papel, dejando marcados patrones y texturas únicas.

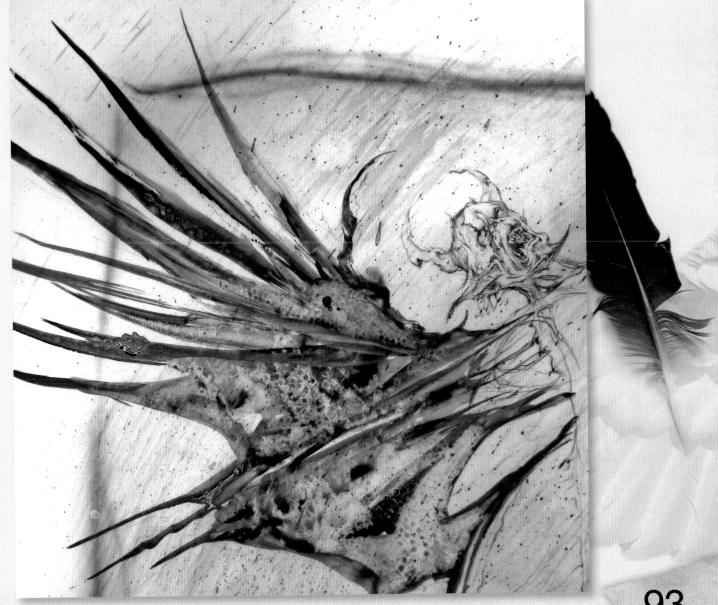

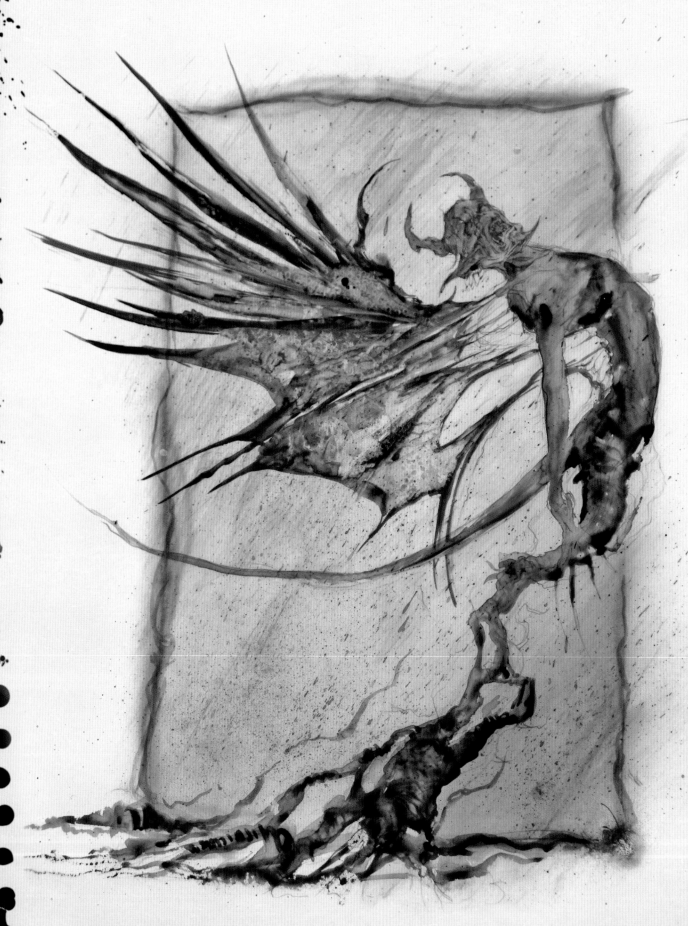

Paso cinco En este paso, pintaremos el resto del ángel con el pincel. Fíjate en la textura arenosa del fondo. Puedes lograr esta imagen remojando un cepillo de dientes viejo en el gouache. Ahora, de la esquina inferior izquierda de la hoja, sacude la pintura del cepillo y crea la textura.

▶ Paso seis Para darle todavía más textura a la pintura, humedece la toalla de papel en un poco de limpiador para vidrios. Luego, toma la toalla y oprímela en algunas áreas de la ilustración para quitar algo de pintura. Después, sumerge el mismo cepillo de dientes en el limpiador de vidrios y vuelve a sacudirlo en la pintura.

▼ Paso siete Ahora es momento de suavizar los bordes. Primero, llena el aerógrafo con el gouache y rocía ligeramente las partes de las alas que quieras mezclar con el fondo.

95

▶ Paso ocho Suavicemos el resto del ángel para prepararlo para la última etapa: los toques de luz y los acentos oscuros.

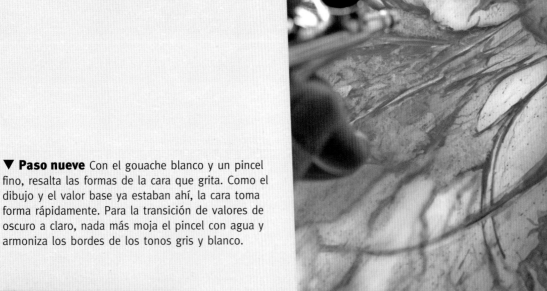

▼ Paso nueve Con el gouache blanco y un pincel fino, resalta las formas de la cara que grita. Como el dibujo y el valor base ya estaban ahí, la cara toma forma rápidamente. Para la transición de valores de oscuro a claro, nada más moja el pincel con agua y armoniza los bordes de los tonos gris y blanco.

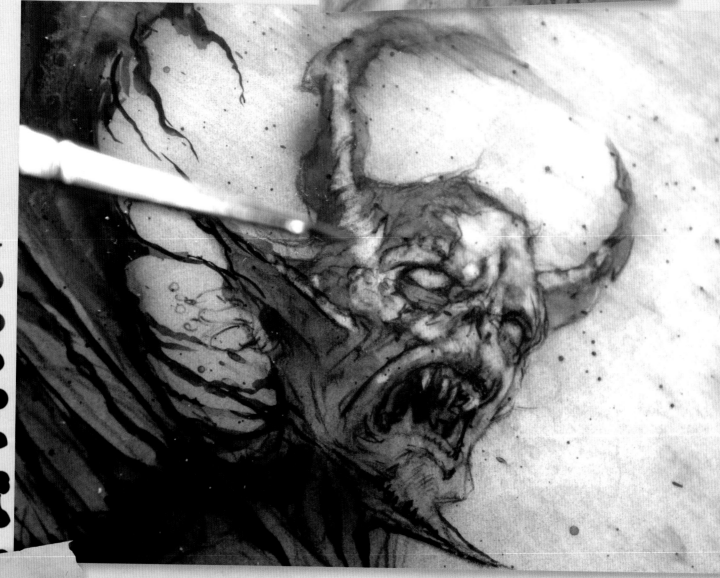

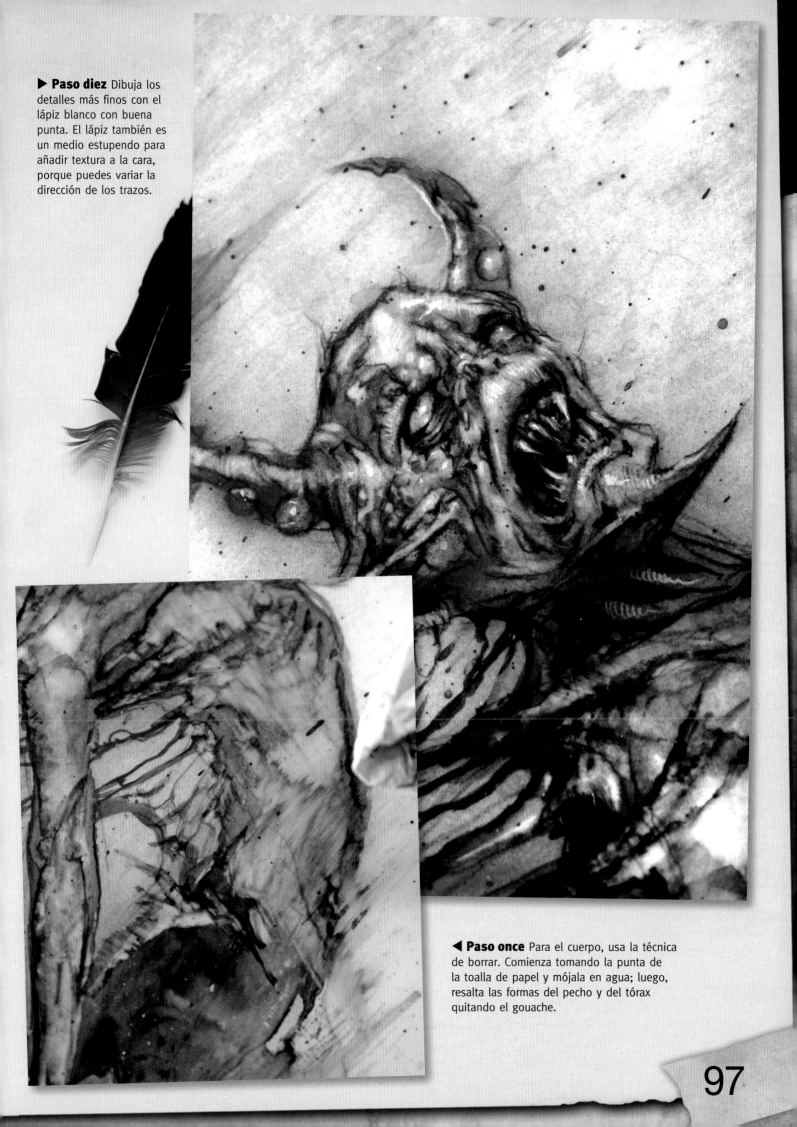

▶ **Paso diez** Dibuja los detalles más finos con el lápiz blanco con buena punta. El lápiz también es un medio estupendo para añadir textura a la cara, porque puedes variar la dirección de los trazos.

◀ **Paso once** Para el cuerpo, usa la técnica de borrar. Comienza tomando la punta de la toalla de papel y mójala en agua; luego, resalta las formas del pecho y del tórax quitando el gouache.

97

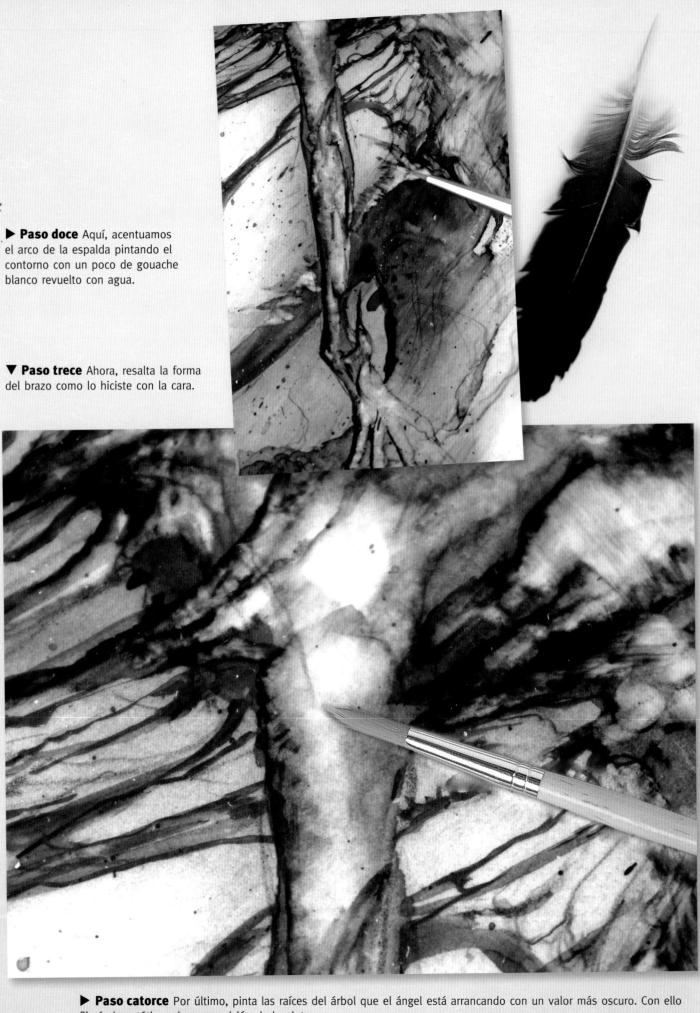

▶ **Paso doce** Aquí, acentuamos el arco de la espalda pintando el contorno con un poco de gouache blanco revuelto con agua.

▼ **Paso trece** Ahora, resalta la forma del brazo como lo hiciste con la cara.

▶ **Paso catorce** Por último, pinta las raíces del árbol que el ángel está arrancando con un valor más oscuro. Con ello fijarás la estética y la composición de la pintura.

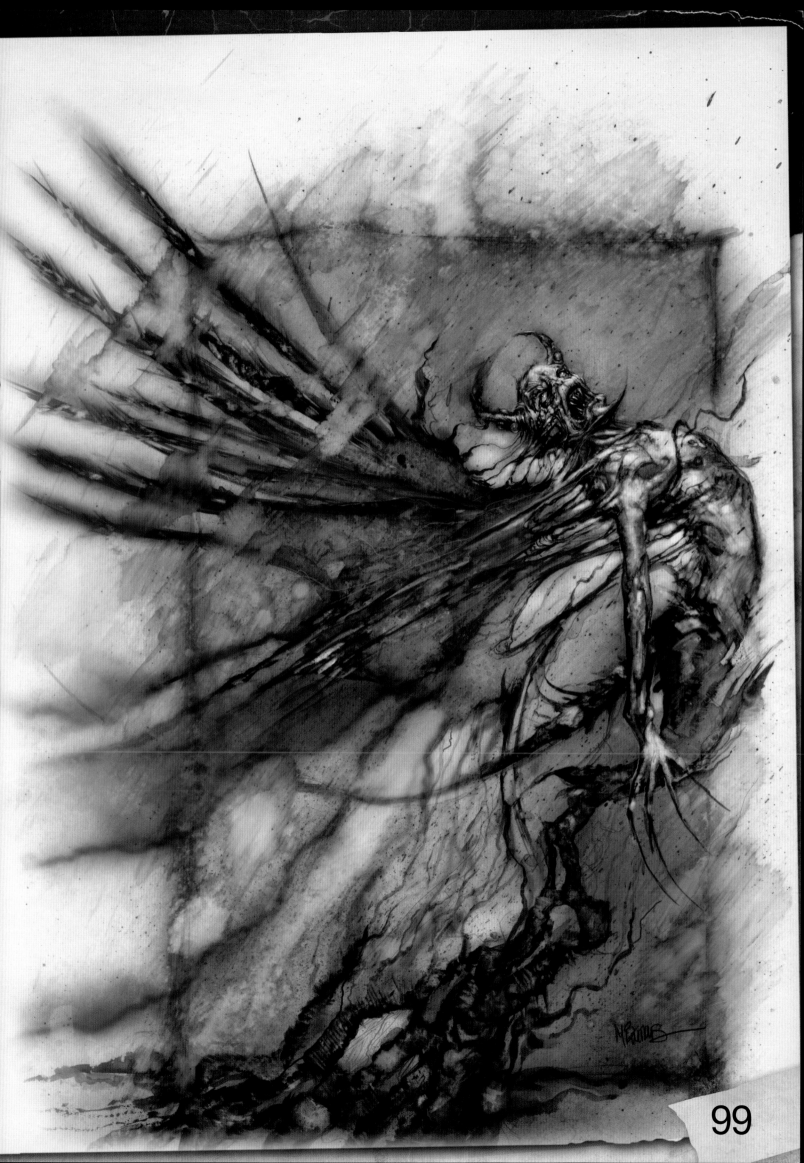

Capítulo 4: ilustración digital

materiales para ilustración digital

La ilustración digital es una obra sumamente detallada y terriblemente dinámica. A diferencia del dibujo o la pintura, la ilustración digital te permite hacer mejoras drásticas con sólo unos cuantos clicks a un botón. Antes de trabajar en los proyectos de este capítulo, es importante que conozcas bien las herramientas básicas y las funciones de tu programa para editar imágenes (yo prefiero Photoshop®). No obstante, si no tienes conocimientos, ni experiencia en ilustración digital, puedes usar estos proyectos como referencia para dibujar o pintar —cada obra de arte comienza con un dibujo o una pintura hechos a mano.

Lápiz de color negro

Papel calca

Papel vegetal

Lista de material

Para completar los proyectos de ilustración contenidos en este libro, necesitarás los materiales que se enlistan a continuación. Los materiales exactos para cada sujeto se encuentran al inicio de cada proyecto:

- Lápiz de color negro
- Papel calca
- Papel vegetal
- Fijador en aerosol
- Una computadora con Photoshop®
- Escáner

Computadora

Para lanzarte a la aventura de la ilustración digital, necesitas una computadora, un escáner y un programa para editar imágenes. En el estudio que aparece en la ilustración del lado derecho, verás que puedes configurar varios monitores para un solo sistema de computadora. Esto puede ayudarte a dispersar tu trabajo; puedes conectar los monitores para que la imagen se vea en muchas pantallas, permitiéndote ver muchas más cosas de la imagen de inmediato. También puedes usar los monitores para tener varios paneles de control y que no estés constantemente minimizando las ventanas para hacer espacio en la pantalla. Aunque es ideal trabajar con muchos monitores, lo cierto es que sólo necesitas uno.

Programa para editar imágenes

Existe una gran variedad de programas para editar imágenes, pero muchos estarán de acuerdo con que Adobe Photoshop® es el que más se utiliza. A continuación encontrarás un pequeño resumen de algunas de las funciones básicas utilizadas en los proyectos de este libro.

Funciones básicas de Photoshop®

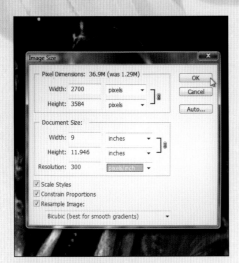

Resolución de imagen: Cuando escanees tu dibujo o tu pintura en Photoshop®, es importante que lo hagas a 300 dpi (puntos por pulgada, por sus siglas en inglés) y a 100% del tamaño original. Un dpi más alto contiene más pixeles de información y determina la calidad con la que se imprimirá la imagen. No obstante, si quieres que la imagen sea sólo una obra de arte digital, puedes elegir un dpi bajo, de 72. Mira el dpi y el tamaño en el menú: Imagen > Tamaño de la imagen.

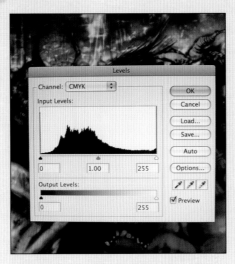

Niveles: Con esta herramienta (en el menú Imagen > Ajustes), puedes cambiar el brillo, el contraste y el rango de valores de una imagen. El negro, el tono medio y el blanco de la imagen son representados con los tres marcadores en la parte inferior del gráfico. Desliza estos marcadores horizontalmente. Si mueves el marcador negro a la derecha, oscureces la imagen completa; si mueves el marcador blanco a la izquierda, aclaras toda la imagen; y si deslizas el marcador medio a la derecha o a la izquierda, aclararás u oscurecerás los tonos medios respectivamente.

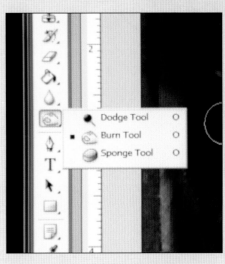

Herramientas difuminar y quemar: Las herramientas difuminar y quemar, términos tomados prestados del viejo cuarto oscuro, también se encuentran en la barra de herramientas básica. Difuminar es sinónimo de aclarar y quemar es sinónimo de oscurecer. En la barra que está debajo de "rango", puedes seleccionar luz, tonos medios o sombras. Selecciona el que quieras difuminar o quemar de los tres, y la herramienta trabajará sólo en esas áreas. Ajusta el ancho y la exposición (o fuerza) a tu gusto.

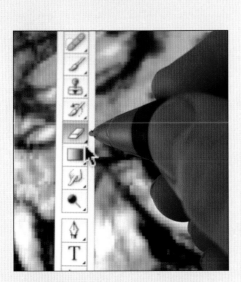

Herramienta goma: La herramienta goma está en la barra de herramientas básica. Cuando trabajas en una capa del fondo, la herramienta elimina pixeles para dejar al descubierto un fondo blanco. Puedes ajustar el diámetro y la opacidad del pincel para controlar el ancho y la fuerza de la goma.

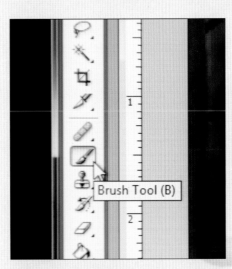

Herramienta pincel: La herramienta pincel, que está en la barra de herramientas básica de Photoshop®, te permite aplicar varias capas de color a tu lienzo. Igual que con las herramientas goma, desvanecer y quemar, puedes ajustar el diámetro y la opacidad del pincel para controlar el ancho y la fuerza de las pinceladas.

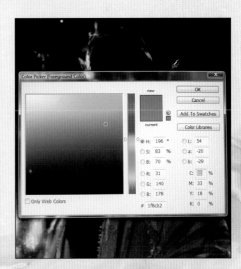

Elección de color: Elige el color de tu "pintura" en la ventana de los colores. Selecciona el tono haciendo clic en la barra de color vertical, después mueve el cursor circular en la caja para cambiar el tono del color.

Sin alas

De lejos, tiene el cabello y las curvas de un ícono de la pasarela, sin mencionar el rostro de sirena. Pero si te acercas, incapaz de resistirte a su aura seductora, el horror de su pasado se vuelve dolorosamente evidente. Puntos apresuradamente insertados en las heridas donde alguna vez estuvieron sus alas y marcas de garras grabadas en su rostro, dejan al descubierto que está muy lejos de ser una criatura del cielo. Ha hecho el mal, y porta sus cicatrices con orgullo.

Materiales
- Papel vegetal
- Lápiz de color negro
- Photoshop®

◀ **Paso uno** Con un lápiz de color negro en papel vegetal, crea un boceto sencillo del personaje y la pose. Quise representar un ángel que perdió sus alas de manera brutal, así que decidí hacer una imagen por atrás que nos mira con actitud desafiante.

▶ **Paso dos** Este ángel de las tinieblas es hermoso, pero de manera aterradora. Sus proporciones no son las típicas de una súper modelo. Y el espacio y el tamaño de sus facciones están distorsionadas lo suficiente para que el espectador se sienta incómodo. Con trazos rápidos y gráficos del lápiz, dibuja su rostro. Intenta lograr una apariencia demacrada, casi marcada.

◄ Paso tres Para hacer que su cabello luzca suave y azotado por el viento, usa el costado del lápiz para los bordes, matizando el cabello en la dirección en la que fluye. Luego, oscurece las orillas alrededor de la cara para separarla del cabello. Ahora, dibuja el resto del cuerpo, seguido de los puntos en la espalda. Éstos serán el centro de atención principal de la ilustración.

▶ Paso cuatro En este paso, los puntos solamente se indican. Haz patrones en forma de cruz, similares a los de un corsé. Después, oscurece los hoyos por donde pasaron la aguja y el hilo, dejando algunos hilos colgados descuidadamente en los costados. La historia: las alas de nuestro ángel fueron arrancadas sin misericordia por haber cometido una hazaña malévola, pero parece muy orgullosa de ello.

105

Paso cinco Marca la sombra principal en la espalda con el costado del lápiz. Asegúrate de llenarla con trazos consecuentes para no distraer al ojo. Pude crear este ángel usando como referencia fotografías de antiguas sesiones de fotos. Su rostro lo inspiraron diferentes caras femeninas que me gustaron, aunque le añadí mi propio toque. En cuanto a los puntos, tuve que inventar casi todo el patrón de sombra de la espalda. Repito, si no te sientes cómodo inventando una figura o la iluminación, no dudes en sacarte fotos a ti o a un amigo. No es necesario tener una modelo con el mismo físico porque siempre distorsionas o exageras la forma después.

▲ **Paso seis** El cabello debe lucir como si hubiera llamas a su alrededor. Cuando lo diseñes, riza las puntas y consérvalas incandescentes. Para el fondo, haz trazos rápidos y disparejos con el costado del lápiz. Eso sugiere un ambiente en movimiento.

▲ **Paso siete** Continúa trabajando los puntos hacia abajo de la espalda como si se trataran de una serie de sombras principales. Fíjate que los puntos sean un poco más oscuros que el resto del área. Esto también produce una imagen visual muy desagradable, porque parece que no cosieron bien la piel y está despegada. Los hilos son unos cuantos matices más claros, pero delineados con un valor más oscuro para que se vean dolorosamente gruesos y tridimensionales.

◀ **Paso ocho** Ahora, el dibujo está listo para ser escaneado en Photoshop®, donde le pondremos color.

Paso nueve Una vez en Photoshop®, tiñe todo el dibujo con un tono marrón cálido. Hazlo seleccionando primero "imagen" en la barra del menú. Luego, elige "ajustes" seguido de "filtro de foto". En el recuadro "filtro de foto" selecciona el color deseado. Mantén la densidad en aproximadamente 35% y desactiva "conservar luminosidad".

◄ **Paso diez** A continuación, empieza a trabajar la cara. En última instancia, queremos que sea pálida con tonos azules de muerto. Las herramientas más utilizadas en este paso son goma, pincel y quemar. Siempre mantén la opacidad y los niveles de exposición en aproximadamente 25% para controlar la aplicación del color. Para comenzar el rostro, usa la herramienta goma. Repito, mantén el nivel de opacidad bajo para que aumente la transparencia.

◄ **Paso once** Para crear el efecto demoníaco de los ojos, utiliza la herramienta pincel y reduce el diámetro a aproximadamente 3px. Luego, selecciona un color turquesa oscuro de la paleta y delinea los ojos. Después, escoge un negro cálido, reduce el diámetro a 2px y repasa el turquesa. Para el borde interno de los ojos, elige un rojo rosado para compensar el delineado oscuro y frío. Ahora, usa la herramienta goma para el blanco de los ojos.

▲ **Paso doce** Aunque queremos que el tono de su piel sea frío y pálido, no se vería interesante sin algunos colores cálidos para hacer contraste. Selecciona uno terracota de la paleta. Luego, usa la herramienta pincel en los labios, alrededor de los ojos, en las mejillas y en la punta de la nariz. Regresa a los colores y escoge un azul verdoso para las zonas que deben hundirse, como el surco de la línea media del labio superior y la mandíbula. Repito, no olvides mantener baja la opacidad para que puedas controlar la aplicación del color. Fíjate cómo añadí algunos trazos de valor claro en toda la cara. Es la misma técnica que utilizo cuando dibujo con lápiz. Lo hago para darle textura cuando empieza a verse muy liso.

◄ **Paso trece** Aquí, profundizaremos la cicatriz irregular usando la herramienta quemar, con un diámetro chico.

▲ **Paso catorce** Elige el pincel y escoge un color azul de la paleta para el cabello. Los bordes externos del cabello deben ser fuertes e intensos para crear un agradable contraste con los tonos azules.

◀ **Paso quince** Para los puntos, vuelve a usar el pincel, conservando un diámetro muy pequeño. A continuación, elige un color azul claro y repasa rápido el hilo. Después, con la herramienta goma, agrégale un par de toques de luz mate.

▲ **Paso dieciséis** El cuerpo del ángel no necesita mucho trabajo, salvo un poco de tono. Igual que con la cara, usa la herramienta goma con la dureza en cero. La opacidad debe permanecer aproximadamente en 15% para permitir que sobresalga la calidez de los tonos siena. Para definir su anatomía, regresa al pincel y elige un azul. Luego, repasa los músculos de la espalda y el deltoides. Con la herramienta goma, crea los toques de luz en su cuerpo.

◀ **Paso diecisiete** Quería que el cabello se viera casi como si estuviera atrapado en una nube de humo y llamas. En el dibujo preliminar se hizo la mayor parte del trabajo para el efecto ahumado. Para hacer que el angosto borde que ilumina el cabello parezca que brilla por el fuego, primero selecciona la herramienta pincel. Después, en las opciones que hay debajo de "modo", elige "luz suave"; y luego, escoge un anaranjado de la paleta de color y pinta el borde del cabello.

▲ **Paso dieciocho** El fuego no es un sólo color, así que la luz del borde tampoco. Para mezclarla, escoge un rojo más profundo de la paleta para las otras partes del delineado.

◀ **Paso diecinueve** Usa un morado claro para la parte inferior donde fluye el cabello para complementar la familia del amarillo y el anaranjado. Para evitar que se vea chillón, asegúrate de rebajarlo con gris para que quede transparente. Hazlo usando la herramienta pincel con el "modo" en "multiplicar". Ahora, utiliza ese mismo color para pintar el costado de su pecho y frente. Con esto, el ángel se funde con el fondo.

Paso veinte Resalta el borde de luz del cabello un poco más con amarillo. Por último, terminemos con un repaso sencillo al borde. Toma la herramienta quemar y oscurece el marco. Luego, repásalo con un anaranjado intenso. Resaltar el borde externo con el morado claro hace que la imagen se vea más gráfica.

adicto a los ángeles

Estrellas oscuras de la literatura

No es de sorprender que nuestra fascinación por los ángeles, sobre todo los caídos y perversos, haya llevado a la imaginación hacia las formas de entretenimiento favoritas. Investiga en tu sitio web preferido para comprar libros y obtendrás aproximadamente 1000 resultados, y eso sólo para ángeles caídos. Los escritores contemporáneos de no ficción, romance y ficción, novelas para adultos jóvenes, novelas gráficas y manga, han sacado a los ángeles de su lugar de descanso al que se retiran cuando no están de moda y los han hecho brillar de nuevo.

Ésta es una lista de lectura indispensable para angelólogos prometedores y para cualquiera que sienta atracción por los sitios oscuros:

El mercurio cae, Robert Kroese

El ángel caído, serie de novelas gráficas de Peter David y J.K. Woodward

Oscuros, una serie de Lauren Kate

Halo, de Alexandra Adornetto

Hush, Hush, de Becca Fitzpatrick

Alita, ángel de combate, el último orden, serie de manga de Yukito Kishiro

Memnoch el diablo, de Anne Rice

Hellraiser, de Clive Barker

El carnaval de las tinieblas, de Ray Bradbury

Cartas del diablo a su sobrino, de C.S. Lewis

El hombre que vendió su alma, de Stephen Vincent Benét

Nuestra ciudad, obra de teatro de Thornton Wilder

The Sorrows of Satan, de Marie Corelli

Fausto, de Johann Wolfgang von Goethe

El monje, de Matthew Lewis

El paraíso perdido, de John Milton

La reina de las hadas, de Edmund Spenser

La divina comedia, de Dante Alighieri

Beowulf

Ángeles en la radio

No pienses ni por un instante que las cancioncillas de ángeles sólo las tocan las bandas góticas; desde la cantante de country Patty Loveless ("When Fallen Angels Fly"), el artista pop Chris Brown ("Fallen Angel"), pasando por estrellas de rock como Aerosmith ("Fallen Angels") y el gigante del rap Jay-Z ("Lucifer"), a los cantantes les encantan las historias paralelas de arruinados ángeles caídos para sus canciones. Dándole un giro al tema, en el video del éxito de 1983 "Send Me An Angel" de la banda australiana Real Life, aparece una doncella con una capa negra y acompañada de su hábil lechuza en una forma aparentemente desorientada en un bosque brumoso. Mientras, un hombre lobo a caballo sigue claramente sus candentes huellas. ¡Mándame un ángel, cómo no! Si no has visto el video, te dará gusto saber que un arquero andrógino, que suponemos es un ángel bueno, le lanza una flecha al lobo y lo mata, y todo vuelve a la normalidad en el bosque. Las canciones que hablan, o se refieren, de ángeles en un sentido edificante son incontables. Hay villancicos clásicos como "Angels We Have Heard on High" y "Hark the Herald Angels Sing", así como "Angel", de Madonna, aunque existe otra canción sobre seres celestiales de Aerosmith apropiadamente titulada "Angel". Los melancólicos

cantantes de country también tienen cantidades de esas canciones: "Guardian Angels", de The Judds; "Ten Thousand Angels", de Mindy McCready; y "The Angels Rejoiced Last Night", de Gram Parsons, son sólo un ejemplo.

Personas que hacen contacto con los ángeles a diario, mencionan que un ángel puede estar en tu interior cuando escuchas una canción que inexplicablemente mueve tus fibras más profundas. Esto puede o no ser verdad, pero lo que sí es cierto es que si estás sintonizando una estación country, te sentirás bendecido por un tiempo.

Películas del ángel caído

Igual que las alegres canciones de ángeles, abundan las comedias y películas inspiradoras sobre ángeles buenos. Entre las más famosas se encuentran las clásicas de Navidad *¡Qué bello es vivir!* (1946) y *La mujer del obispo* (1947); las clásicas de los 80 *The Heavenly Kid* (1985) y *Siempre* (1989); y varias de los 90 (debido en parte al resurgimiento de los ángeles en la cultura popular en esa época), como la nueva versión de *Ángeles* [también conocida como *Ángeles en el equipo*] (1994), *Michael, tan sólo un ángel* (1996), y *Una historia diferente* (1997).

Como representar el mundo que rodea a los ángeles caídos, su transformación, o la atrocidad que los rodea, es muy divertido para los cineastas, la lista de opciones de películas de demonios es abundante. Éstas son algunas:

El rito (2011)
La novena puerta (1999)
Más allá de los sueños (1998)
El abogado del diablo (1997)
Soldados de Dios (1995)
La tienda (1993)
El corazón del ángel (1987)
La profecía (1976)
El exorcista (1973)
The Stranger Within (1974)
El bebé de Rosemary (1968)
El infierno de Dante (1935)

ángel de grafiti

Cayó en desgracia, pero no del cielo al infierno. Antes de que la vida se pusiera ruda, era un chico bueno con intenciones nobles. Después, los demonios que traía bien ocultos lo vencieron, haciendo de su existencia un infierno viviente. Hoy, cuando intentan resurgir y causar estragos, los exorciza con una lata de pintura en aerosol. Ahora… su imagen está en la pared.

Materiales
- Papel vegetal
- Lápiz de color negro
- Papel calca
- Photoshop®

◀ **Paso uno** Siempre he admirado el grafiti bien hecho, y prefiero ver eso que un puente deprimente y sin chiste. Éste fue mi boceto original en papel calca. El artista grafitero tuvo un pasado difícil e indeseable, pero a través de esta pasión recién descubierta por el grafiti, se redimió y recuperó sus alas artísticas.

▶ **Paso dos** No quedé completamente satisfecho con el boceto original. Después de varios cambios, me decidí por este y volví a hacer el dibujo final con el lápiz negro en papel vegetal. Este artista grafitero es más grande y un poco más agresivo. El dibujo de la pared es más sencillo y las alas tienen más presencia después de haberlas incluido. En general, la composición es más limpia y es mucho más fácil entenderla.

116

▶ Paso tres El artista parece un tipo común y corriente que te encontrarías por la calle, aunque un poco tenso. Su irritabilidad es aparente en la seguridad de su lenguaje corporal, la iluminación gráfica y los tatuajes de su brazo izquierdo. Casi todo se encuentra en la sombra, pero está iluminado por una sola fuente de luz que cae desde arriba. Eso me facilitó la invención del personaje. Ahora, el dibujo está listo para pintarlo en Photoshop.®.

◀ Paso cuatro Luego de escanear el dibujo, experimenta con los colores seleccionando "balance de color", que se encuentra debajo de "ajustes", y elige un tono sepia cálido. Al final, me pareció que los fríos tonos grises funcionaban mejor, así que me quedé con el original blanco y negro.

▶ **Paso cinco** Internet es una estupenda fuente para los artistas. La textura de esta pared de ladrillo es de un sitio web repleto de texturas para muro gratuitas. Después de elegir la textura, pegué el archivo en Photoshop®. A continuación, enfrié los colores del muro con un gris claro, usando "balance de color". Luego, seleccioné "filtros" en la barra de herramientas y escogí "artístico" seguido de "manchas de pintura". Este filtro le restó parte del realismo a la textura. Ahora será más sencillo mezclarla con el resto del dibujo.

Paso seis Abre el archivo del dibujo. Primero, duplica la textura de la pared hasta que tengas suficiente muro para el dibujo. Luego, selecciona el dibujo y colócalo encima de la textura. A continuación, elige la herramienta goma, manteniendo la opacidad en 20% y la dureza en cero. Empieza borrando el dibujo hasta que surja la cantidad adecuada de textura. Evita al personaje y el suelo. Para fundir la textura con el dibujo y que puedas trabajarlo, selecciona "multiplicar" en el menú "capas".

◀ **Paso siete** En este paso, pintaremos al artista grafitero. Empieza con un acercamiento de su rostro y selecciona la herramienta pincel. Ahora, elige el tono base para la piel (como se ven en sus brazos) de la paleta de colores. Mantén el tamaño del pincel relativamente pequeño y la opacidad en 20%. Permitir que los tonos grises y el dibujo lineal aparezcan, le da a la ilustración en general una imagen editorial. Elige un beige cálido de la paleta para pintar los planos faciales a los que iluminará la fuente de luz. Luego, pinta las cuencas oculares con siena quemada.

◀ **Paso ocho** Suaviza un poco más la cara con un calor beige medio. Después, con el mismo color resalta los músculos y los toques de luz en los brazos.

119

Paso nueve Aquí, se usa el mismo azul marino para las sombras de la ropa y las alas. Recuerda conservar bajo el nivel de opacidad para permitir que los ladrillos sobresalgan.

◄ **Paso diez** Usa tonos claros de azul, lavanda y negro para que las alas sean monocromáticas. Como el pie está hacia delante, decidí darle un toque de color pintando de rojo sus tenis de lona.

▶ **Paso once** Todo el color está en el grafiti. Cuando se trabaja en un proyecto como éste, es necesario considerar diferentes clases de imágenes de grafiti para elegir la que se dibujará. Me atrajeron estas letras grandes y llamativas que parece que fluyen en un diseño que llama la atención. Intenté crear unas por mi cuenta, comenzando con un alegre amarillo. Sobre éste añadiremos otros colores brillantes que se fundirán entre sí perfectamente.

▶ Paso doce Para lograr que pareciera que la pared del cuadro está pintada con aerosol, conserva la opacidad aproximadamente en 20% y el nivel de dureza en cero. Elige colores que se complementen, como anaranjados, azules, verdes y amarillos. Sólo fíjate que todos tengan el mismo valor. Luego, delinéalos para darles dimensión.

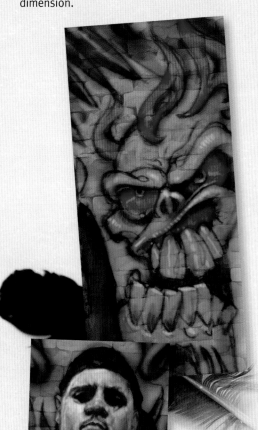

◀ Paso trece El monstruo del fondo representa el pasado del artista grafitero. Fíjate que mira directamente a su creador. Este ángel artista está obligado a integrar un demonio a su obra de arte para que le recuerde los errores que no repetirá. En el monstruo se usaron los mismos colores que en las letras, salvo algunas sombras más oscuras que se añadieron a sus ojos y su boca.

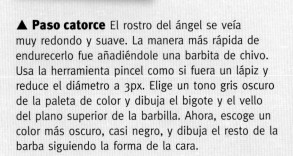

▲ Paso catorce El rostro del ángel se veía muy redondo y suave. La manera más rápida de endurecerlo fue añadiéndole una barbita de chivo. Usa la herramienta pincel como si fuera un lápiz y reduce el diámetro a 3px. Elige un tono gris oscuro de la paleta de color y dibuja el bigote y el vello del plano superior de la barbilla. Ahora, escoge un color más oscuro, casi negro, y dibuja el resto de la barba siguiendo la forma de la cara.

▶ Paso quince Aquí, estamos tatuando el brazo derecho para equilibrar el lado derecho. Con la herramienta pincel chico, elige un gris medio y haz diseños rápidos que siguen su anatomía. Debe parecer que los tatuajes se hicieron en diferentes ocasiones, sin que se les reste fluidez.

▶ Paso dieciséis En este último paso, démosle brillo a los bordes para que parezca que la imagen salta de la página. Selecciona la herramienta goma y mantén la opacidad en 30%. Luego, simplemente repasa el marco entero.

glosario abreviado de ángeles

A

alas Los seres con alas se volvieron famosos en el arte en el siglo IV d. C. Las extremidades llenas de plumas eran una marca de la capacidad que los ángeles tienen para viajar entre el cielo y la tierra, cumpliendo con la misión divina con velocidad inexplicable. Sin embargo, no todos los ángeles tenían alas. Hay mucho relatos de la Biblia en los que los ángeles eran humanos (y obvio sin alas) en apariencia.

ángel *Ángel* proviene del griego *angelos*, o mensajero. Ángel se traduce a *malakh* ("mensajero") en hebreo, y *angaros* ("guía") en persa. Todas las traducciones reflejan la obligación de los ángeles de viajar entre el cielo y la tierra para entregar mensajes entre humanos y Dios. También es su labor cumplir con la voluntad de Dios, aunque eso significa ayudar o castigar a la humanidad.

Ángel de la Muerte El mensaje que el Ángel de la Muerte debe transmitir es que todos los que nacen en el mundo en algún momento dejan de existir. Aunque algunos ángeles, concretamente Satanás o Samael en la tradición mítica judía, obtienen placer al entregar noticias de muerte inminente y al llevarse almas al cielo o al infierno. Otros ángeles a los que se les estima más, como los arcángeles Miguel y Gabriel, han fungido como ángeles de la muerte.

ángeles de la destrucción No importa que su mensaje sea de adversidad, plagas o muerte, los ángeles de la destrucción cumplen con las órdenes de Dios de destruir a los malvados. Algunos creen que estos ángeles residen en el infierno y que Dios los llama a sus filas para usar sus poderes y castigar. Aunque no suelen nombrarse en relatos de destrucción, al arcángel Gabriel se le atribuye la destrucción de Sodoma y Gomorra.

ángeles de la presencia Protectores de los secretos cósmicos, los ángeles de la presencia ordenaron a Moisés que escribiera cada palabra que Dios pronunció cuando el primero estaba en el Monte Sinaí. Se dice que son doce los ángeles que conforman a este grupo de alto rango, entre ellos Metatrón, Miguel y Uriel.

ángeles del Zodiaco Doce ángeles presiden las doce casas del Zodiaco, según la tradición de lo oculto. No obstante, sólo Gabriel, el ángel asignado a Acuario, está relacionado con los ángeles de la Biblia.

angelofanía Cuando un humano detecta la presencia de un ángel con uno o más de los cinco sentidos.

Ariel Significa "león de Dios", y es uno de los siete ángeles regentes de la tradición judía. La Biblia hace referencia a Ariel en el libro de Isaías, pero no como un ángel, sino como otro nombre de Jerusalén.

Asmodeo Si de ángeles caídos se trata, Asmodeo, de tres cabezas, es considerado el más vil y vengativo, tiende a la posesión demoníaca y a arruinar matrimonios nuevos, evitando que los esposos tengan relaciones y haciendo que los maridos caigan en situaciones de adulterio. Con patas de gallo y alas gastadas, cabalga en un dragón y echa fuego por la boca.

Astaroth La identidad de Astaroth varía. En un relato, es el alter ego malo de la diosa Astarté que blande una víbora en la mano izquierda al tiempo que monta un dragón y provoca el ocio. La tradición hebrea dice que alguna vez fue un príncipe de los tronos exiliado del cielo junto con Satanás.

Azazel Azazel ("Dios fortalece") es uno de los doscientos observadores, o ángeles que cayeron de la gracia de Dios cuando copularon con mujeres mortales, según el libro apócrifo de Enoc. La tradición judía lo describe como un demonio con siete cabezas de serpiente, catorce caras y doce alas. En la tradición islámica, se convirtió en Iblís después de que Dios lo echó del cielo por negarse a inclinarse ante Adán.

B

Behemoth Literalmente, un demonio enorme, Behemoth suele representarse como un elefante que camina en dos pasa, cargando todo su peso en su grande parte media; aunque también es presentado como un cocodrilo o una ballena. Fue asignado como vigilante del infierno en la corte de Satanás y se encargaba de supervisar los grandes banquetes en el infierno.

Belial Uno de los subordinados más indispensables de Satanás, Belial es un ángel caído que es bastante malicioso, aunque engañosamente bello y de voz suave. En la antigua tradición judía, Belial fue creado después de Lucifer y nació malo. Su misión es alimentar la pecaminosidad y la culpa en los humanos.

Belzebú En las escrituras cristianas, Belzebú ("señor de las moscas") es el segundo en la jerarquía de ángeles caídos, justo debajo de Satanás; mientras que la Cábala lo apodó el príncipe de los demonios. Curiosamente, al principio era un dios sirio.

C

corona de plumas También conocida como corona de ángel, una corona de plumas es un bulto de plumas en forma de corona que se encuentra dentro de las almohadas de cama. Según el folclore, si se encuentra una corona de plumas dentro de la almohada de alguien que acaba de morir, es bueno porque significa que esa persona va camino al cielo.

coros Es la organización jerárquica de los ángeles en niveles y grupos. Es ampliamente aceptado que existen nueve coros, o grupos, en tres niveles.

D

demonio Cada persona tenía su propio espíritu llamado *demonio* ("poder divino") que la guiaba y la protegía durante su vida, de acuerdo con los antiguos griegos. Si se necesitaba una respuesta, el demonio enviaba una repentina ola de intuición. Pero los demonios también imponían castigos a los mortales si no cumplían con sus sugerencias inconscientes.

días de la semanas En la mágica tradición del ocultismo, ciertos ángeles están asociados con los días de la semana: Miguel es el ángel principal y le corresponde el domingo; Gabriel, el lunes; Samael, el martes; Rafael, el miércoles; Sachiel, el jueves; Anael, el viernes; y Cassiel, el sábado.

E

Enoc La leyenda indica que Enoc fue un profeta llevado al cielo por órdenes de Dios. Ahí se convirtió en el ángel Metatrón y fungió como escriba santo. Su experiencia con los ángeles que pueblan el cielo y el infierno fue relatada en el libro de Enoc, supuestamente por el mismo Enoc, aunque se argumenta que muchos autores escribieron el libro de manera anónima en los últimos dos siglos antes de Cristo.

escalera de Jacob Aparece en el Génesis 28:11-19, es una escalera (o escalones en algunas traducciones) hacia el cielo en la que Jacob vio ángeles subiendo y bajando cuando dormía recargado en una piedra en el llano mientras huía de su hermano Esaú. Dios reveló desde la parte superior de la escalera que renovaría la promesa que le hizo a Abraham, el abuelo de Jacob, y bendeciría a sus descendientes. Sobra decir que esa acción convirtió a Jacob en creyente.

espadas en llamas En el Génesis 3:24 dice cómo Dios bloqueó el acceso al Jardín del Edén con un "querubín" y una "espada encendida que giraba en todas direcciones". Por ello, es común que los ángeles estén acompañados por espadas en llamas en las obras de arte.

F

fuerzas de la naturaleza Las fuerzas de la naturaleza existen como proveedores de armonía en el mundo natural. Regidas por los ángeles, se dice que presiden a la tierra, al aire, al fuego y al agua; a los planetas y a las estrellas; a los signos del zodiaco; al día y a la noche; a los animales, a las plantas y al reino mineral, según la tradición mágica.

G
Gabriel Gabriel significa "Dios es mi fortaleza" u "hombre de Dios", una descripción apropiada del arcángel que se sienta a la izquierda de Dios y funge como su mensajero en las escrituras de las tres religiones abrahámicas principales. Sólo él y Miguel son identificados como ángeles en el Antiguo Testamento.

H
halo El halo, o nimbo, simboliza cercanía con Dios y la divinidad que en consecuencia radia en el interior. Se volvió parte integrante de las representaciones de ángeles en el arte en el siglo ɪv d. C.

I
Iblís El equivalente de Satanás en la tradición persa y árabe, y el ángel alguna vez exaltado, pero expulsado, antes conocido como Azazel en la tradición islámica.

Israfil Significa "el que arde", Israfil tocará la trompeta el Día del Juicio Final, según la tradición islámica. Es el ángel de la resurrección.

infierno La "casa del dolor y la aflicción", como lo describió John Milton, el infierno es el reino eterno de Satanás, su legión de ángeles caídos y las almas de los condenados.

L
Leviatán Satanás declaró a Leviatán "una serpiente retorcida, desgarradora", según Isaías 27:1, el soberano de las regiones marítimas. En el libro de Jonás de la Biblia hebrea, Leviatán es la ballena que se tragó a Jonás y lo tuvo atrapado tres días en su estómago, hasta que Dios ordenó su liberación.

Lilith Según la tradición judía, Lilith precedió a Eva como esposa de Adán. Su relación fracasó porque Lilith se negó a someterse a Adán e insistía en que eran iguales. Con el tiempo lo dejó para unirse a las fuerzas del ángel caído Samael, y pronto comenzó a dar rienda suelta a su ira estrangulando niños pequeños mientras dormían. A veces, a Lilith se le identifica como la serpiente que tentó a Eva en el Jardín del Edén.

Lucifer Lucifer, que significa "portador de luz" o "portador de fuego", es mencionado en la Biblia sólo en Isaías 14:12-15, un pasaje que detalla el alguna vez sagrado deseo del ángel de ser tan poderoso como Dios. La palabra *satanás* describe a un adversario en época del Antiguo Testamento, pero alrededor de 347-420, Lucifer se volvió sinónimo de Satanás, el líder de los ángeles caídos. Esta idea fue defendida por *El paraíso perdido*, de John Milton, cuyo protagonista se llama Lucifer.

M
Miguel El único ángel, además de Gabriel, que aparece en la Biblia, Miguel ("que es como Dios") es el ángel principal. Encabezó el ejército de Dios y derrotó a Satanás y a sus ángeles caídos en la guerra en el cielo. La imagen de su marco blindado de pie victorioso sobre el dragón, Satanás, se ha representado infinidad de veces en el arte.

misterioso desconocido Un ángel que se materializa en la forma de humano masculino o femenino que tiende a acercarse a los mortales en necesidad. Igual que los humanos reales, los misteriosos desconocidos comen, hablan —aunque poco— y visten según los códigos. Como desaparecen después de resolver el problema del mortal, suele quedar sin esclarecer si eran ángeles o humanos.

N
Niké Dios griego con alas que representaba la victoria en los deportes, la música y la batalla, e influyó en la idea de que los ángeles tienen alas.

P
Pravuil El arcángel de los récords que ayudó a Enoc a escribir las experiencias que vivió en el cielo.

Q
querubines Los *querubines* son bebés y niños pequeños con alas, muy comunes en el día de san Valentín. Aunque en realidad, esos pequeños niños traviesos con plumas se llaman *putti*, y las criaturas tipo esfinges con alas que se ubican en la segunda posición en la jerarquía de ángeles se llaman *querubines*.

R

Rafael El arcángel Rafael ("sanación de Dios") está relacionado con la restauración de la salud, y se dice que se dedica a sanar a la Tierra y a sus habitantes mortales. En el libro apócrifo de Tobías, Rafael guía a Tobías cuando viaja. Así, Rafael, a quien suele representársele con un báculo, es el ángel guardián de los viajeros, sobre todo de los peregrinos.

Remiel Significa "piedad de Dios", Remiel es el ángel que guía a las almas al Juicio.

S

Sandalfón Según la leyenda judía, Sandalfón es la identidad que el profeta Elías adoptó después de ser enviado al cielo en un carro de llamas.

Satanás El señor supremo del infierno y el soberano de sus demonios.

Semyaza Semyaza (a veces Shamayza) es el líder de los ángeles que caen. Como castigo por sus pecados, entre ellos vivir en pecado con mujeres, Semyaza pende, de cabeza, entre el cielo y la tierra en la constelación de Orión.

sueños Como personificaciones espirituales de sabiduría divina, los ángeles suelen aparecer en sueños para transmitir información muy importante al soñador. En el Evangelio de Mateo, José, que ha decidido divorciarse de María al saber de su embarazo, es visitado por un ángel en sus sueños que le asegura que el bebé nonato de María es hijo del Espíritu Santo.

T

Tobías, el libro apócrifo de Los Apócrifos incluyen al libro de Tobías, un relato bautizado en honor a un judío virtuoso del mismo nombre que está en el exilio. En su contenido hay ángeles y demonios, y se considera el origen de la popularidad de Rafael en la tradición de ángeles.

U

Uriel Significa "fuego de Dios", Uriel le avisó a Noé de la inundación, protegió la entrada al Edén con una espada en llamas, y peleó con Jacob. John Milton se refiere a él como Regente del Sol y la entidad "con la visión más aguda" del cielo.

V

Verdelet Maestro de ceremonias en el infierno.

hasta la próxima vida

¡Buen trabajo! Completaste tu viaje a la Fantasía Underground. En esta entrega, descubriste técnicas para dibujar ángeles como se representan en el arte clásico, así como ángeles demoníacos con una gran variedad de apariencias tradicionales, e incluso algunas interpretaciones modernas de ángeles que cayeron en desgracia. Incursionaste en ilustraciones en blanco y negro, probaste con pinturas y experimentaste con manipulación por computadora para darles a tus imágenes el efecto esencial del otro mundo. Complicados como son, los ángeles ya no están fuera de tu alcance. Ya los conociste, ya los dibujaste, ya los conoces (salvo que no sepas que son ellos). Si completaste satisfactoriamente los proyectos de este libro, sin duda te has ganado tus alas. Hasta el próximo viaje a la Fantasía Underground, recuerda que el Diablo se presenta de muchas formas, y si te encuentras con un ángel en la tierra, bien podría ser uno de los ángeles caídos.